P9-BIX-605

LAS FRUTAS DEL PARAÍSO

The fruits of paradise

MARJORIE ROSS DE CERDAS

LAS FRUTAS DEL PARAÍSO

The fruits of paradise

Edición bilingüe

EDITORIAL DE LA UNIVERSIDAD DE COSTA RICA

Edición aprobada por la Comisión Editorial
de la Universidad de Costa Rica

Primera edición: 1995

Revisión filológica: Maritza Mena C.
Diseño gráfico y de portada: Juan Carlos Fallas Z.
Levantado de texto y revisión de pruebas: La autora
Transferencia, diagramación electrónica y artes finales: Gabriela Ríos G.
Separación de color y arte final de portada: María Fe Alpízar
Separaciones de color, contenido: Marcos A. Rojas H.
Coordinador de producción: Jorge Cuadra R.
Jefe de la Editorial: Gilbert Carazo G.
Dirección Editorial y Difusión de la Investigación (DIEDIN): Mario Murillo R.

Fotografías: Estudiantes de Artes Gráficas,
Escuela de Artes Plásticas de la Universidad de Costa Rica.

641.346
R823f Ross de Cerdas, Marjorie.
Las frutas del paraíso = The fruits of paradise / Marjorie Ross de Cerdas. -- 1. ed. -- San José, C.R. : Editorial de la Universidad de Costa Rica, 1994.
p. ; 24 cm.

ISBN 9977-67-259-8

1. FRUTAS TROPICALES. I. Título

CCC/BUCR-391

Les dedico este libro a ustedes,
pajaritos de fruta.

TIERRA BENDITA

No ha sido sino hasta este último cuarto del siglo veinte cuando se le ha dado a la comida el lugar que inobjetablemente le corresponde como fenómeno cultural por excelencia.

La íntima relación entre cocina y cultura se ha abierto campo en la Academia, e importantes universidades realizan simposios y seminarios sobre el tema. Es ya un lugar común la frase *somos lo que comemos*, y el mismo hecho de que las nuevas generaciones se interesen en una dieta más sana y equilibrada, otorga un énfasis mayor a la diaria relación de los humanos con los alimentos.

Dentro de este amplio proceso se sitúa el nuevo lugar que este fin de siglo le otorga a las frutas, esa variadísima gama de delicias que son trasladadas diariamente de un extremo a otro del planeta. Su importancia en la dieta humana se ve subrayada por su presencia en los libros sagrados de las principales religiones, a menudo ligadas al eterno anhelo humano de trascendencia por el conocimiento, o a los tabues y prohibiciones sexuales.

Sin embargo, aunque ya nuestros antepasados prehistóricos equilibraban su dieta con las frutas, como fenómeno cultural su incorporación al ritual de la mesa de distintos pueblos y sectores sociales, es más bien nuevo. En los siglos dieciséis, diecisiete y dieciocho, las frutas figuraban solo en las mesas más opulentas de Europa. No es de extrañar, entonces, la sorpresa y el deleite que emanan de las crónicas de los españoles de esa época ante la abundancia y variedad que encontraron en los mercados del Nuevo Mundo. Ha sido nuestro siglo, con sus enormes avances en tecnología agrícola, en comunicaciones, y en conservación de alimentos, el que ha potenciado la fruta hasta hacerla una necesidad diaria de millones y millones de habitantes del Globo.

Apasionantes estudios recientes acerca del origen, evolución y conducta de la especie humana han revelado una relación entre el consumo de frutas y el tamaño del cerebro de los primates. En general, de acuerdo con la opinión de varios autores, los primates que comen frutas tienen el cerebro más grande que aquellos que se alimentan solo de hojas. Esto podría deberse a que la obtención de las frutas requiere conocimiento sobre un territorio más amplio, y patrones más complicados que la búsqueda de las hojas. Lo cierto es que las frutas parecieran estar indisolublemente ligadas al desarrollo mismo de nuestra especie.

Puente geográfico y cultural, situada en la cintura misma del Continente americano, Costa Rica cuenta en sus 51.000 kilómetros cuadrados con riquísimas flora y fauna. Entre las múltiples especies comestibles, por su exuberancia, por la vivacidad de sus colores, sus perfumes, y por lo exótico de sus formas y sabores, sobresalen las frutas.

Esta amplísima variedad de frutas, un poema a las delicias de la mesa, impresionó pronto a los primeros visitantes europeos. De ello dejó cuenta en sus escritos el mismo Cristóbal Colón, quien en su cuarto viaje, en el mes de setiembre de 1502, tocó tierra en lo que hoy es nuestra provincia caribeña de Limón. También lo hizo el célebre cronista de Indias, Gonzalo Fernández de Oviedo, entre cuyas características resaltaba el ser un finísimo gastrónomo, quien dejó muchas páginas dedicadas a nuestras piñas, papayas, guayabas y otras frutas. Aunque cada vez que veía una nueva fruta Oviedo quedaba tan impresionado que no dudaba en llamarla la mejor de todas, fue la piña la que definitivamente lo prendó, quizás por poseer esa exacta combinación de belleza, buen sabor y exquisito aroma.

Cuando los españoles le dieron el nombre a Costa Rica, estaban pensando en brazaletes de oro, espejos dorados, y enormes ídolos del precioso metal. Había bastantes de esos objetos, pero no tantos como esperaban los europeos. Sin embargo, el territorio sí era rico en otra clase de oro: doradas frutas y legumbres que han alimentado a su población desde entonces hasta nuestros días. A las especies nativas, bien aprovechadas por las poblaciones precolombinas, se unieron pronto las que traerían en sus naves los conquistadores, entre ellas muchas frutas, que rápidamente dieron abundantes cosechas en el fértil suelo del país. Fue con Juan Vázquez de Coronado, a quien correspondió en 1562 explorar una importante parte de este territorio, y colocar finalmente a la población aborigen bajo el dominio de la Corona española, que comenzaron a llegar regularmente los productos de los huertos ibéricos.

Bien pronto, hasta piratas y bucaneros saciarían aquí su sed con abundantes frutos. El más célebre de ellos, Francis Drake, logró llegar hasta el interior del país, y en 1579 robó una nave española que iba desde Costa Rica hasta Panamá, aumentando con ello la ira y el odio de los conquistadores.

Durante siglos, el encanto de esta tierra ha ganado con su dones la voluntad de los extranjeros. El Dr. Constantino Láscaris, un renombrado filósofo español cuyos ancestros se remontan hasta la noble casa de Conmeno en Bizancio, vino a Costa Rica a enseñar, y se quedó en el país por el resto de su vida. Estaba tan prendado por el paisaje y por las frutas, que llegó a decir que Costa Rica era la Tierra Prometida. Para él, este era el lugar en que se cumplía la profecía bíblica: la fértil tierra de la miel y las frutas.

Desde la temprana época colonial, los habitantes de

estos lugares se han regalado con sabrosas frutas confitadas, delicias en miel, y toda clase de jaleas y cajetas. Los costarricenses consumen diariamente toneladas de frutas, en forma natural, o preparadas de maneras diversas. Los refrescos de fruta acompañan cada una de sus comidas, y las frutas son también el principal ingrediente de muchos postres tradicionales y modernos.

La maravilla de la variada producción de frutas tropicales costarricenses, que llenan los estantes de los supermercados en los Estados Unidos y en Europa, evidencian la necesidad de este libro, que muestra algunos de esos tesoros que marcaban la tierra prometida. Principalmente se han incluido aquellas frutas que pueden conseguirse comercialmente, y se han dejado de lado muchas otras que, aunque exóticas y sabrosas, son actualmente difíciles de obtener. Sin embargo, algunas de las que aparecen en esta obra son poco conocidas dentro del propio país, fuera de las regiones donde se cultivan. Se han incluido como una forma de incentivar su producción. La diferencia en el tratamiento que se da a cada una tiene que ver con su importancia en la dieta, con su abundancia o escasez, y con su versatilidad.

Cada fruta es presentada, además, con su nombre científico, familia botánica, y su nomenclatura en español, inglés y francés, a efecto de que sea posible para personas de lenguas diversas saber a qué especie se está haciendo referencia. Esto ayudará a evitar la confusión existente, ya que a menudo se le llama con el mismo nombre a diversas variedades de una fruta, e incluso a algunas que no son ni siquiera parientes entre sí. Esto se da entre la anona, el anón y la chirimoya, pero también en cuanto al güízaro y el cas dulce, y en otros muchos casos.

El viajero moderno muchas veces encuentra a la venta productos que le llaman la atención, pero que no conoce, y no sabe cómo prepararlos. Son muchas las frutas que son exportadas desde Costa Rica a los Estados Unidos y a Europa, y muchas otras las que llegan a esos lugares desde otros países tropicales. Sin embargo, el número de compradores potenciales muchas veces se ve reducido por la falta de información sobre las posibilidades de cada producto. Aquí mismo, en Costa Rica, a veces falta versatilidad o creatividad para servir de manera distinta las maravillas que la Naturaleza, generosamente, brinda a diario.

Desde hace un tiempo se ha incrementado el estudio del negocio de las frutas, que maneja billones de dólares en escala internacional. Pero no se ha avanzado igualmente en la investigación de la fruta y su relación cultural con el ser humano y con la sociedad.

Esta obra pretende ser, más que una ayuda práctica que permita aprovechar de verdad las frutas del Paraíso, una puerta de entrada a una comunión con la Naturaleza, que reconcilie, en el placer del disfrute, al ser humano y su medio, a través de una conciencia profunda sobre nuestras prácticas alimentarias. Es, en pocas palabras, una invitación a explorar juntos el vasto y a veces ignorado campo de la cultura de la alimentación.

A BLESSED LAND

Only in this last quarter of the century has food been given the place that it undoubtedly merits as a cultural phenomenon. The intimate relation that exists between cooking and culture has been finally accepted by scholars, and renown universities organize simposia and seminars on these topics. *That we are what we eat* is already a common phrase, and the fact that the new generations are interested in a more balanced and healthy diet gives a stronger emphasis to the daily relation between human beings and food.

In this ample process, fruits, now traveling from corner to corner of the globe, have been given a new place. Its importance in the human diet has been underlined by its presence in the sacred books of the main religions, often linked to the eternal human quest for knowledge or to sexual prohibitions. Even though our pre-historic ancestors already balanced their diet by the inclussion of fruits, as a cultural phenomenon their incorporation to the rituals of the table of different peoples and social strata is rather new. During the sixteenth, seventeenth and eighteenth century, fruits were only found in Europe on the tables of the wealthy. No wonder so much surprise and delight permeates the writings of the Spanish Conquistadores of the period, seeing the abundance and variety of fruit in the markets of the New World. But only in the twentieth century, with the enormous advancements in farming technology, in communications, and in food preservation, fruits have been converted to a daily necessity for millions and millions of inhabitants of the Earth.

Recent studies on the origin, evolution and behaviour of the human species have shown a relationship between fruit eating and the size of the brain in primates. In general, according to various authors, fruit-eating primates tend to have larger brains than leaf-eaters. This could be explained by the fact that finding fruits require knowledge of a larger territory and more complex patterns than does finding fruits. The truth is, anyway, that fruits seem to be closely linked to the development of our species.

Geographical and cultural bridge, situated in the mere center of the Americas, Costa Rica has in its 51.000 square kilometres abundant flora and fauna. Fruits reign, on top of the hundreds of edible species, for its exuberance, its colors, its aromas, and its exotic tastes and forms.

This ample variety of fruits, a poem to the delicacies of the table, made an early impression on the first European visitors. The first written notice was from Christopher Colombus himself, who in his fourth trip to the Americas, in October of the year 1502, went ashore in what today is Limón, our Caribbean province. The renown Spanish chronicler, Gonzalo Fernández de Oviedo, who was a fine gastronome, also left many pages about our pineapples, papayas, guavas, and other fruits. Though as soon as Oviedo saw a new fruit he was cast under its spell and pronounced it the best, it was the pinepple the one that definitively conquered him, maybe for its precise combination of beauty, good taste and exquisite aroma.

When the Spaniards named this territory Costa Rica (Rich Coast) they were thinking about gold bracelets, golden mirrors, and giant golden aboriginal idols. There were many of those, but never as many as the Europeans expected. Nevertheless, the territory was rich in another type of gold: golden fruits and vegetables that nurtured its population then, and still do now. The native species, well used by the precolombian peoples, soon were those that were brought in their vessels by the Spaniards, including many fruits that soon yielded plentiful harvest in the fertile soil of the country. It was after Juan Vásquez de Coronado, in 1562, explored an important part of this country, and finally put the aboriginal tribes under the dominion of the Spanish Crown, that Spanish products started to come in a regular basis.

Soon, even pirates and buccaneers calmed their thirst with many fruits. The most famous of them, Sir Francis Drake, succeeded in traveling to the interior of the country, and in the year 1579 got hands on a Spanish vessel that was traveling from Costa Rica to Panama, winning the hate of the conquistadores.

For centuries, the charm of this land has won, with its gifts, the hearts of foreigners. Dr. Constantino Láscaris, a notable Spanish philosopher whose ancestry can be traced back to the noble House of Comnenus in Bizantium, came to Costa Rica to teach, and stayed in the country for the rest of his life. He was so taken with the beauty of the landscape and its delicious fruits, that he went as far as to say that Costa Rica was the Promised Land. For him, this was the place where the biblic prophecy was fulfilled: the fertile land of honey and fruits.

Costa Ricans eat daily tons of fruits, either raw, or prepared in different forms. Refreshing fruit drinks accompany every Costa Rican meal, and the variety is really amazing. Fruits are also the main ingredient in many traditional desserts. Since early colonial times, cooks in these territories have pampered their families and friends with candied fruit cores, delicacies in heavy syrup, all sorts of jellies, and a diversity of delicious fudges.

The marvel of Costa Rica's varied production of tropical fruits, that delights foreigners and locals as well, has convinced me of the need to write this book, that proudly shows a part of our true treasures. Yet, I have mostly included those fruits that can be found commercially. There are many others that, though been tasty and exotic, are now difficult to find. Nevertheless, some fruits that appear in this book are little known outside the regions where they are grown. They have been included as a means to incentivate production. Differences in number of words accorded to each fruit are due to their importance in the diet, abundance or shortage, and versatility.

I have introduced each fruit with its scientific name and botanic family, and its names in English, Spanish and French, to help people of different languages understand which species I am referring to. It will help to avoid the usual confusion, because we often use in everyday life the same word to refer to different varieties of the same species, and even to some that are not even related. This happens with the bullock's heart, the sugar apple and the cherimoya, but also with the strawberry guava and the *güízaro*, and still in other cases.

Modern travelers often find in groceries in foreign countries products that get their attention, but they don't know what use to give them. Many Costa Rican fruits are exported to Europe and the USA, and still others go there from different tropical countries. Yet, the potential number of buyers diminishes for lack of information on the products' possibilities. Even here, in Costa Rica, we sometimes lack versatility and creativity to make use of those marvels Nature gives us everyday.

This work intends to be of practical use to help us truly enjoy the fruits of Paradise.

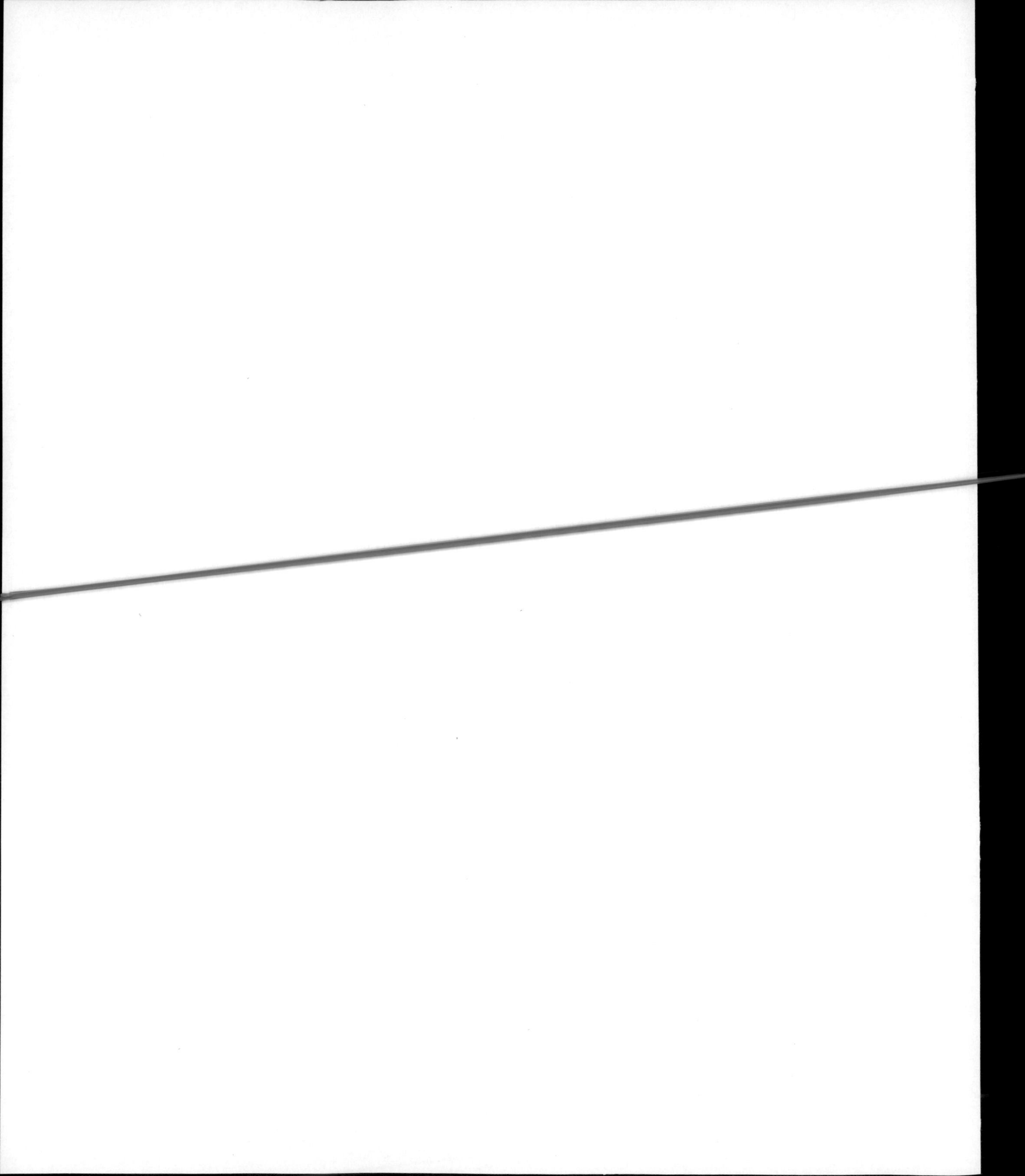

Aki o seso vegetal

Español: Aki o seso vegetal
Inglés: Akee
Francés: Aki
Nombre científico: *Blighia sapida*, Koenig
Familia botánica: Sapindaceae

Esta fruta, nativa del Africa Occidental tropical, fue traída a América durante los años de la trata de esclavos. Se piensa que llegó a Jamaica en la década del setenta del siglo dieciocho. La fruta es una extraña cápsula, de unos ocho centímetros de largo, cuyo color va desde el amarillo pajizo hasta el rojo magenta. Cuando madura, se abre y deja al descubierto tres brillantes semillas negras, y una carne color crema en la base de éstas. Su textura es firme y un poco aceitosa.

Por muchos años se ha sostenido que el aki crudo es venenoso, especialmente la membrana rosada que une la carne con las semillas, pero recientemente algunos científicos han afirmado que no es así. Mientras la controversia no esté resuelta, en todo caso, es preferible comer las frutas maduras, que se han abierto naturalmente dando aviso gentil de que están listas para ser consumidas, y retirar la membranita, que es parecida a la de los chiles picantes.

El aki es muy bueno frito en mantequilla, en vinagreta, o cocinado con pescado salado.

El nombre nos vino desde el Africa, junto con la fruta. La versión española, "sesos vegetales", fue usada al principio por gente que le encontraba cierto parecido con los sesos de un animalito pequeño, pero francamente la comparación pareciera bastante desafortunada, y el nombre mucho menos sonoro que el original.

Akee

English: Akee
Spanish: Aki or seso vegetal
French: Aki
Scientific name: *Blighia sapida*, Koenig
Botanic family: Sapindaceae

This fruit, native to tropical West Africa, was brought to America in the days of the slave trade. It was introduced to Jamaica in the late 1770's. The fruit is a strange looking capsule, about eight centimeters (3") long, straw colored to magenta-red. When ripe, it opens and shows three black shining seeds, and a whitish fleshy body at the base of each. It is firm and rather oily in texture.

It has long been believed that unless cooked, akees are poisonous, specially the pink tissue joining the flesh to the seed, but recently some scientists have stated that that is not true. Anyway, while the point is not definitively settled, it is better to only eat the cooked and fully ripe fruits, that have opened naturally, gently letting us know that they are ready for our apetite, and discard the pink tissue.

Akee is very good fried in butter, vinagrette or boiled with salt fish.

The name came from Africa, along with the fruit. The Spanish version, "sesos vegetales" (less attractive than the African name), was first used by people who found resemblance between akees and brains of small animals, simile which seems rather peculiar.

Aguacate

Español: Aguacate, palta
Inglés: Avocado
Francés: Avocat, avocade
Nombre científico: *Persea americana* Miller
Familia botánica: Lauraceae

Los habitantes de Costa Rica han comido aguacates desde tiempos inmemoriales. Los indígenas pre-hispánicos ya los cultivaban en los *auacamilli*, o campos de aguacate, y lo consideraban afrodisíaco.

Fue Fernández de Oviedo, en el año 1526, el primer europeo en dejar noticia escrita de esa fruta en estos territorios. Este cronista vio el árbol en el istmo de Panamá, y advirtió que se comía de diversas y deliciosas maneras, aunque su receta preferida era aguacate con queso.

Francisco Cervantes Salazar, cronista de la Nueva España, nos cuenta que vio aguacates en los mercados de la ciudad de México, allá por el año 1554. Pronto fue favorita de los españoles, y Hernández, un médico enviado en 1615 por el rey de España a estudiar las plantas medicinales del Nuevo Mundo, escribe también de la deliciosa fruta. Se comía cruda, en tajadas como el melón, con una pizca de sal.

Hasta cierto punto, el aguacate asume en la dieta de muchos costarricenses el lugar de la carne y los huevos. Bellos aguacates de tres libras de peso decoran las calles de este país durante todo el año.

En Costa Rica, el aguacate se usa comúnmente en ensalada, solo o mezclado con cebolla, tomate y lechuga. Algunas veces se le agrega a las sopas en el momento de servir. O se maja y se mezcla con cebolla, culantro y jugo de limón para hacer el exquisito guamacole, de influencia azteca. Otros lo comen simplemente como legumbre, sin añadirle ningún otro condimento que no sea una pizca de sal, sobre una deliciosa tortilla caliente.

Los aguacates cambian de color poco tiempo después de partirlos, por lo que es mejor prepararlos poco antes de servir. Siempre deben rociarse con jugo de limón o naranja agria, para evitar que la fruta se ponga negra. Da buen resultado también dejar la semilla dentro del guacamole hasta momentos antes de servirlo, ya que evita que se ennegrezca.

Los españoles de los siglos dieciséis y diecisiete pensaban que el aguacate era muy poco digestivo, y se desaconsejaba darlo a los niños pequeños. Actualmente, los pediatras israelíes más bien lo recomiendan entre los primeros alimentos del bebé.

Avocado

English: Avocado
Spanish: Aguacate, palta
French: Avocat, avocade
Scientific name: *Persea americana* Miller
Botanic family: Lauraceae

Avocados have been grown in Costa Rica since immemorial times. The aboriginal indians grew the fruit in the *auacamilli*, or avocado orchards, and believed it to be an aphrodisiac.

Fernández de Oviedo, in 1526, was the first European to give a written account of the fruit in these territories, so far as known. He saw the tree in the Isthmus of Panama, and found it was eaten in many different, delectable ways, though his favorite was avocado and cheese.

Francisco Cervantes Salazar, chronicler of Nueva España, gives notice of the avocado been sold in the markets of Mexico City very soon after the Conquest, as far back as 1554. The Spanish soon took to it, and Hernandez, a physician sent by the King of Spain to study the medicinal plants of the New World in 1615, also writes about the delicious fruit. It was eaten fresh, sliced like a melon, with a pinch of salt.

To a certain extent, avocados take the place of meat and eggs in the diet of many Costa Ricans. Gorgeous three pound fruits decorate the streets of this country the year round.

In Costa Rica, the avocado is commonly used in the form of a salad, either alone or combined with onions, tomato and lettuce. It is sometimes added to soups at the time of serving. It is mashed with onions, coriander and lemon juice for the exquisite *guacamole*, of Aztec origin. Some just eat it as a vegetable, without the addition of any other seasoning than a little salt, scooped out and accompanied by a very hot *tortilla*(corn bread).

Avocados change color soon after cutting, so it is better to prepare them at the last minute. Always sprinkle the fruit with lemon or lime juice to prevent it from turning black. It is also useful to leave the seed in the guacamole dish until the last minute, because it also prevents darkening of the pulp.

Spaniards in the 16th and 17th Centuries used to think that avocados were difficult to digest, and did not feed it to infants. Nowadays, Israeli doctors reccomend mashed avocado as one of the best baby foods.

Anón

Español: Anón, anona
Inglés: Sugar-apple
Francés: Pomme-cannelle, atte
Antillas: Sweet-sop
Nombre científico: *Annona squamosa* Linnaeus
Familia botánica: Annonaceae

Esta fruta, nativa de la América Tropical, tiene un agradable dulzor y una exquisita fragancia, como de agua de rosas. Es más rugosa que la anona, cuyo nombre a veces se le da, pero su tamaño es parecido.

Corrientemente se come cruda, pero al igual que con las otras integrantes de esta sabrosa familia de las anonáceas, se puede preparar en souflés, helados y bebidas.

Sugar Apple

English: Sugar-apple
Spanish: Anón
French: Pomme-cannelle, atte
West Indies: Sweet-sop
Scientific name: *Annona squamosa* Linnaeus
Botanic famly: Annonaceae

Native to tropical America, the sugar-apple has an agreable sweetness and a delightful fragrance like rose-water. It is lumpier than the custard apple, but of similar size.

It is usually eaten fresh, and as with each member of this tasty family, you can also prepare soufflés, sherbets, and beverages.

Anona

Español: Anona
Inglés: The bullock's heart
Francés: Cachiman, cachiman coeur de boeuf, corossol
Nombre científico: *Annona reticulata* Linnaeus
Familia botánica: Annonaceae

La anona tiene una apariencia muy extraña. Es una fruta verde con forma de corazón, nativa de las Antillas, pero presente en Centroamérica y México desde tiempos lejanos. Su tamaño varía entre los ocho y los dieciséis centímetros. Cuando madura, el color verde se vuelve cafesusco. La cáscara es abultada y poco usual. La fragante pulpa es blanca como la leche y tiene muchas semillitas negras.

Se come cruda, con una cuchara, después de partirla a la mitad, usando la piel como si fuera tazón.

También se prepara un delicioso helado de anona.

Bullock's Heart

English: Bullock's heart
Spanish: Anona
French: Cachiman, cachiman coeur de boeuf, corossol
Scientific name: *Annona reticulata* Linnaeus
Botanic family: Annonaceae

Very strange looking is "the bullock's heart", called *anona*. It is a heart-shaped green fruit, native to the West Indies, but present in Central America and Mexico since pre-Columbian times. Its size varies from eight to sixteen centimeters (3-6"). As it ripens, the green color changes to a dark reddish-brown shade. The skin is lumpy and unusual. The fragrant sweet pulp is milk white, and it contains several large black seeds.

It is eaten as raw fruit with a spoon, after cutting it in halves, using the skin as a bowl.

You can also make a tasty sherbet with it.

Anona chirimoya

Español: Anona chirimoya
Inglés: Cherimoya
Antillas: Custard apple
Francés: Chérimolier, annone
Nombre científico: *Annona cherimolia* Miller
Familia botánica: Annonaceae

Hay varios tipos de chirimoya, una fruta nativa de Perú y el Ecuador. Muy similar a la anona, a menudo se le llama simplemente con ese mismo nombre. Esta fruta es lisa y verde, del tamaño de una pera, con un dibujo en su cáscara que recuerda a una bellota de pino, y que varía un poco de una a otra variedad. La carne es blanca y suavísima. Se come fresca, y se usa para hacer helados.

Mark Twain la decribió como *la delicia en sí misma*, pero muchos piensan que ese concepto es un poco exagerado. También se le ha llamado "fresa del paraíso".

La palabra *chirimoya* viene del quechua. *Chiri* significa frío, y *moya*, semilla. Sus brillantes semillas negras han sido encontradas en tumbas incaicas, y se le encuentra perpetuada en muchos objetos precolombinos.

Custard Apple

English: Cherimoya
Spanish: Anona chirimoya
West Indies: Custard apple
French: Chérimolier, annone
Scientific name: *Annona cherimolia* Miller
Botanic family: Annonaceae

There are several types of cherimoya, a fruit native to Peru and Ecuador. Very similar to the bullock's heart, this fruit is frequently called anona as well. The fruit is smooth and green, the size of a pear, with a pattern that resembles a pine cone, and that varies slightly from one variety to another. The flesh is white and very soft. It is eaten fresh and made into sherbets.

Mark Twain said that it was *deliciousness itself*, but some may find that notion a bit exaggerate. It has also been called the *strawberry of paradise*.

Chirimoya is a quechua word, *chiri* meaning cold, and *moya*, seed. Its smooth black seeds have been found in Inca graves, and it appears in many precolombian artifacts.

Banano

Español: Banano
Inglés: Banana
Francés: Banane
Nombre científico: *Musa sapientium* Linnaeus
Familia botánica: Musaceae

El banano, uno de nuestros principales productos de exportación, va actualmente a casi todas partes del mundo. Fue precisamente en estos territorios donde nació la United Fruit Company, a fines del siglo pasado, y las difíciles condiciones de vida de sus trabajadores han sido el centro de importantes obras literarias que han sido traducidas a diversos idiomas. Varias empresas nacionales y transnacionales siguen produciendo la fruta en nuestros días.

La aceptación que ha tenido el banano en el mercado internacional ha sido enorme; tanto así, que durante la terrible depresión económica de 1929, una canción norteamericana inmortalizó la tristeza de no poder comer más bananos ("We have no banana today"). La tonada se hizo popular en la película "Sabrina", en la que actuaban Humphrey Bogart y Audrey Hepburn.

Los bananos han estado también tradicionalmente asociados con el Eros, y es un hecho histórico que la revista *Life* rechazó en una ocasión un anuncio publicitario de la United Fruit por considerar que podría ser ofensivo para sus lectores.

Los costarricenses tienen bananos todo el año, y como les gustan bien maduros, los dejan llenarse de lunares negros antes de comerlos. Piensan que son más dulces así, y también se cree que la textura mejora. Pero no hay que olvidar que para prevenir que se ponga café, la fruta pelada debe rociarse con unas gotas de limón.

Existen diversas variedades de banano en el país, desde el pequeñísimo bananito rosa, de apenas unos diez centímetros de largo (4"), hasta el banano de exportación, de talla grande, pasando por el llamado *banano criollo*, que es de un tamaño intermedio, y alcanza unos dieciséis centímetros (8").

La popularidad del banano, lejos de disminuir, ha ido aumentando con el siglo. Abandonando los anuncios de contenido erótico de los primeros tiempos, y de acuerdo con las tendencias de la moda actual, los productores de la marca Chiquita Banana lo presentan ahora como “uno de los alimentos más completos de los que disfruta el hombre”.

De muy amplio uso, el banano ha logrado penetrar en el menú de muchísimos países. Lo encontramos mundialmente en platillos como *banana flambée*, *banana split*, queque de banano, pan de banano, y muchos más.

Banana

English: Banana
Spanish: Banano
French: Banane
Scientific name: *Musa sapientium* Linnaeus
Botanic family: Musaceae

Bananas are one of the country's main export crops, and they go virtually everywhere in the world nowadays. It was precisely in these territories that the United Fruit Company was born at the turn of the century, and the difficult working conditions in the plantations have been the topic of many literary works, traslated to various languages. Many national and transnational firms are still producing the fruit now.

The world has gone so bananas over bananas, that during such a terrible economic crisis as that of 1929, there was even a song written to immortalize the sadness of not having bananas to eat. The song was made very popular by the movie "Sabrina" (starring Humphrey Bogart and Audrey Hepburn). Bananas have also been traditionally associated with Eros, and it is a historical fact that Life Magazine once rejected a United Fruit Company add that the editors thought could offend their readers.

Costa Ricans have bananas all year round, and since they like theirs very ripe, they let them get all freckled before they eat them. They think they're sweeter that way, and the texture is also thought to be better. But to prevent browning, the peeled fruit must be sprinkled with lime juice.

There are many varieties of the fruit in the country, ranging in size from the merely ten-centimeters-long (4") rose banana, to the so-called creole banana (of medium length), to the larger export banana.

The banana has seen its popularity grow with the century. Leaving aside the erotic publicity of earlier times, and following today's trend for healthfoods, Chiquita Banana advertisements present it now *as one of the most wholesome foods man can have.*

Bananas are very versatile, and they have managed to get into the menus of many many countries. We find them the globe over, in recipes such as banana flambée, banana split, banana cake, banana bread and many more.

Caimito

Español: Caimito
Inglés: Star-apple
Francés: Caimite
Nombre científico: *Chrysophyllum cainito* Linnaeus
Familia botánica: Sapotaceae

En este sorprendente cielo de frutas, se pueden encontrar hasta estrellas comestibles. Sí, los caimitos costarricenses, cuando se parten por la mitad, tienen forma de estrella, y recuerdan un poco al mangostán (*Garcinia mangostana* Linnaeus), una fruta exótica que se encuentra en Malasia y Tailandia.

Esta fruta redonda, del tamaño de una naranja pequeña, es un poco brillante, algunas veces morada, otras verde. La carne es muy dulce.

El caimito se come corrientemente crudo, pero en Limón aún se puede encontrar de ingrediente de una receta llamada irónicamente *matrimonio*, que se prepara sacando la dulce pulpa del caimito, y agregándosela a un vaso de jugo de naranja agria. Esta receta pareciera haber venido de las Antillas.

El árbol es muy bello y sus hojas son doradas en la parte de atrás.

Star Apple

English: Star- apple
Spanish: Caimito
French: Caimite
Scientific name: *Chrysophyllum cainito* Linnaeus
Botanic family: Sapotaceae

There are also edible stars in the country's surprising sky of fruits. Yes, Costa Rican star-apples when halved transversely, present a star-like appearance, somewhat similar to that of the mangosteen (*Garcinia mangostana* Linneus) an exotic fruit found in Malasia and Thailand.

This round fruit, the size of a small orange, looks somewhat glossy, sometimes purple, other times light green. The flesh is very sweet.

The fruit is usually eaten fresh, but in Limon you can still find it made into a mixture somewhat ironically called *matrimony*, which is prepared by scooping out the pulp, and adding it to a glass of sour orange juice. It is thought to be original of the West Indies.

The tree is very beautiful, and the leaves are golden in the back.

Carambola

Español: Carambola
Inglés: Carambola, star fruit
Francés: Carambole
Nombre científico: Averrhoa carambola Linnaeus
Familia botánica: Oxalidaceae

Nativa de Indonesia, esta fruta pentagonal llega a alcanzar unos ocho o trece centímetros (3" a 5") de largo, y es de un color amarillo-rosado translúcido. Es muy rica en vitamina C.

Su carne es muy refrescante, y tiene el olor del jazmín. Es muy jugosa, algunas veces dulce, pero en otras ocasiones pueden encontrarse frutas realmente ácidas, que pueden servir como sustituto del tamarindo en muchas recetas. En el Oriente, cuando la fruta está verde se le usa como legumbre, en vinagretas y *chutneys*.

El término carambola parece derivarse de su nombre en sánscrito, *karmara*. En China se le llama melocotón extranjero.

Las carambolas parecen bellas estrellas cuando se parten en delgadas tajadas a lo ancho, y se lucen en adornos para ensaladas y postres, en conservas y jaleas, o en sabrosas bebidas.

Fuera de la cocina, se le usa para remover el herrumbre.

Carambola

English: Carambola, star fruit
Spanish: Carambola
French: Carambole
Scientific name: *Averrhoa carambola* Linnaeus
Botanic family: Oxalidaceae

Native to Indonesia, this shiny, five sided fruit, may grow up to eight or thirteen centimeters (3" to 5"), is translucent pinkish yellow in color, and is borne in great profusion on the plant. It is very rich in vitamin C.

Its flesh is very refreshing, and has the odor of the jasmine. It is very juicy, sometimes sweet, yet you can often find rather acid ones, that can be used as a substitute for tamarind in many recipes. When unripe, it is used in the Orient as a legume, for chutneys and salads.

The term carambola is said to come from the sanskrit word *karmara*. The Chinese called the fruit foreign peach.

Carambolas, that also look like beautiful stars when you cut them in thin slices crosswise, are both used as garnish for desserts, in preserves and chutneys, or for very refreshing beverages.

Outside the kitchen, they are used to remove iron rust.

Carambola
Foto: Alexander Carazo

Cas

Español: Cas
Inglés: Costa Rican guava
Francés: Goyave amére
Nombre científico: *Psidium friedrichsthalianum* (Bergius) Niedenzu
Familia botánica: Myrtaceae

Otra fruta nativa, a la que en inglés se le llama guayaba costarricense, es el cas. Su suave cáscara se vuelve amarilla al madurar. Muy parecida a la guayaba, es también redonda, pero su pulpa es blanca.

El cas es bastante ácido, pero muchos gustan de comerlo fresco, con sal. También es favorito para refrescos y jaleas. Una bebida muy gustada en el país, y presente en los menús de muchos restaurantes, es el llamado"fresco de cas".

El término cas se cree que proviene de la lengua aborigen brunka ("kas").

Guava (Costa Rican)

English: Costa Rican guava
Spanish: Cas
French: Goyave amére
Scientific name: *Psidium friedrichsthalianum* (Bergius) Niedenzu
Botanic family: Myrtaceae

Another fruit, called in English "Costa Rican guava", is very similar to the guava, but sulphur-yellow in color, round, and has soft white flesh.

It is very acid, but many Costa Ricans enjoy eating it fresh, with a pinch of salt. It is also highly appreciated for jelly-making, and for drinks. One of the most popular drinks that can be found in the menus of many restaurants, is made with Costa Rican guava, and is called *fresco de cas* (fres ko de kas).

Its Spanish name comes from the aboriginal brunka word "kas".

Cas dulce

Español: Cas dulce
Inglés: Strawberry guava
Francés: Goyave brasilienne
Nombre científico: *Psidium cattleianum* Sabine
Familia botánica: Myrtaceae

Esta planta, nativa del Brasil, tiene una linda apariencia, por lo que se usa mucho como elemento decorativo. La fruta es redonda, de apenas unos cuatro centímetros (1 1/2") de diámetro, de color rojo morado, y de cáscara suave. La pulpa, blanca amarillenta, tiene varias semillas duras parecidas a las del cas o la guayaba. El sabor es dulce y aromático, y algunos le sienten parecido a la fresa, de donde deriva su nombre en inglés.

También se le ha conocido como guayaba china, porque los portugueses la llevaron de Brasil a aquel lejano país, y de allí fue exportada a Europa. A menudo se le confunde con el güizaro (*Psidium guineense* Swart), y se les llama a ambas con este nombre.

Algunas veces se come cruda, pero principalmente se usa para jaleas y refrescos.

Strawberry guava

English: Strawberry guava
Spanish: Cas dulce o güízaro
French: Goyave brasilienne
Scientific name: *Psidium cattleianum* Sabine
Botanic family: Myrtaceae

Native to Brazil, this very beautiful plant is often used for decorative purposes in gardens. The fruit is round, only four centimeters (1 1/2") in diameter, dark red in color, and soft skinned. The flesh is yellowish white, and has many hard seeds similar to those of the guavas. Its tastes sweet, and has a pleasant smell that some people think resembles that of the strawberry, which explains its English name.

It has also been known as Brazilian guava, because the Portuguese imported it to Brazil from China, and from that South American country, it was re-exported to Europe. There is some confusion with the *guisaro* (*Psidium guineense* Swart) and both are often called by that same name.

It is sometimes eaten fresh, but it is more commonly used for jams and drinks.

Chicozapote

Español: Chicozapote, níspero
Inglés: Sapodilla, Chicle Tree
Las Antillas: Naseberry
Francés: Sapotille
Nombre científico: *Manilkara zapota* (Linnaeus) van Royen
Familia botánica: Sapotaceae

Una de las mejores frutas del norte de Costa Rica es la que en Guanacaste llaman níspero o chicozapote. Es una fruta que se come cruda, como postre, y raramente se cocina o se usa para conservas.

El botánico francés Descourtilz, quien tenía mucho de poeta, dijo de ella que posee los dulces perfumes de la miel, el jazmín y el lirio del valle. Muchos la consideran la mejor fruta de la América Tropical.

La cáscara es cafesusca, un poco áspera, y tan delgada como la de la manzana. La pulpa es amarilla, y sabe un poco como una pera espolvoreada de azúcar moreno. Se parece bastante, por fuera, al kiwi, (*Actinidia sinensis*), originario de la China, pero popularizado como uno de los principales productos de exportación de Nueva Zelandia, y que se consigue ahora en nuestros supermercados.

El chicozapote era una de las frutas favoritas de los aborígenes chorotegas, quienes lo ponían a madurar dentro de una vasija de arcilla, costumbre que se conserva hasta nuestros días.

Se merece la alta estima en que la tienen los habitantes de la mayoría de los países centroamericanos, no solo por su valor culinario, sino porque su madera es tan fuerte y durable que se han encontrado, en las ruinas de Tikal, dinteles que se cree fueron fabricados con ella en el año 470 de nuestra era.

Ya en la época prehispánica, los aztecas y otros pueblos vecinos hacían chicle con el blanco látex que sacaban de su tronco.

Sapodilla

English: Sapodilla, Chicle Tree
Spanish: Chicozapote, níspero
West Indies: Naseberry
French: Sapotille
Scientific name: *Manilkara zapota* (Linnaeus) van Royen
Botanic family: Sapotaceae

Grown in the Northern part of Costa Rica, the sapodilla or naseberry, called *chicozapote* or *níspero* in the province of Guanacaste, is one of the best fruits. It is a dessert fruit, rarely cooked or preserved in any way.

The French botanist Descourtilz, who was much of a poet, described it as having the sweet perfumes of honey, jasmine and lilly of the valley. It is considered by some to be one of the best fruits of Tropical America.

Its skin is brownish, a bit rough, and as thin as an apple's. The flesh is yellow, and tastes like a pear sprinkled with brown sugar. From the outside, it looks very much like a kiwi (*Actinidia sinensis*), native to China but made famous as one of New Zealand's main export crops, and available now in some Costa Rican supermarkets.

It was a favorite fruit of the native Chorotega Indians, who ripened it by putting it inside a clay pot for about eight days, as is still done today.

It is deservedly held in great esteem by the inhabitants of most Central American countries, not only because of its culinary value, but because its wood is so hard and durable, that lintels believed to be made from it are found in the ruins of Tikal, dated 470 A.D.

Already in pre-Columbian times, the Aztecs and other

neighboring peoples made *chicle* (chewing gum) with the white latex tapped from its trunk.

Cohombro

Español: Cohombro, melón de olor, melocotón, pepino angolo, calabaza de China.
Inglés: Sikana, cassabanana, musk cucumber or perfumed melon
Francés: Melon parfumé
Nombre científico: *Sicana odorifera* (Vellozio) Naudin
Familia botánica: Cucurbitaceae

Nativo del Brasil, el cohombro se siembra tanto como planta ornamental, como por sus frutas.

La fruta es por fuera como un enorme pepino, o como una calabaza ovoidal, de treinta a sesenta centímetros de largo (12" a 24"), y como de ocho a doce centímetros (3" a casi 6") de ancho. Cuando está verde se come como legumbre. Cuando madura, despide un aroma delicioso, y se usa tradicionalmente en Navidad, para adornar y aromatizar los portales que se acostumbra colocar en muchos hogares costarricenses.

También se hace con él una sabrosa bebida fermentada (chicha de cohombro), y cajetas y mermeladas.

Sikana

English: Sikana, cassabanana, musk cucumber or perfumed melon
Spanish: Cohombro, melón de olor, melocotón, pepino angolo
French: Melon parfumé
Scientific name: *Sicana odorifera* (Vellozio) Naudin
Botanic family: Cucurbitaceae

Native to Brazil, the cohombro is grown both as an ornamental plant, and for its fruits.

The fruit is like a large orange-red cucumber, or like an ovoidal squash, thirty to sixty centimeters long (12-24"), and about eight to fifteen centimeters (3" to almost 5") thick.

Is is eaten as a vegetable when unripe. When it ripens, it smells delightfully and is traditionally used to decorate and aromatize the Child's Nativity scenes (*portales*) displayed in most Costa Rican homes for Christmas.

A wonderful fermented beverage is made with it, and it is also used in candies and preserves.

Durazno

Español: Durazno
Inglés: Clingstone peach
Francés: Pêche
Nombre científico: *Prunus persica* (Linnaeus) Siebold & Zuccarini
Familia botánica: Rosaceae

Los españoles trajeron esta variedad de durazno, que se cultiva en las tierras altas costarricenses. Curiosamente, es muy difícil conseguir una fruta de éstas que esté madura, ya que los ticos solo comen duraznos verdes, crudos o en dulce. Pareciera ser que la verdadera razón para esto está en que los pájaros y varios insectos atacan la fruta si se deja madurar en el árbol.

Clingstone peach

English: Clingstone peach
Spanish: Durazno
French: Pêche
Scientific name: *Prunus persica* (Linnaeus) Siebold & Zuccarini
Botanic family: Rosaceae

Brought by the Spaniards, this peach variety grows well in Costa Rican highlands. Yet, you won't be able to see a ripe fruit, since *ticos* only eat green *duraznos*, either fresh or in syrup. The real cause for this preference seems to be that birds and insects attack the fruits if they're left on the trees 'til ripe.

Fruta de pan

Español: Fruta de pan
Inglés: Breadfruit
Francés: Arbre á pain
Nombre científico: *Artocarpus communis* J.R. & G. Forster
Familia botánica: Artocarpaceae

La fruta de pan, como el banano y tantas otras especies, se produce en la región atlántica. Esta fruta, de origen polinesio, fue también introducida en las Antillas por el Capitán Bligh, y los jamaiquinos la trajeron a Limón. A menudo se le vincula al motín del "Bounty", en 1787, ya que los británicos comisionaron en ese viaje al Capitán la misión de llevar plantas de fruta de pan de Tahití a las islas caribeñas, para darlas a los esclavos en las plantaciones, y se dice que el inglés prodigaba mayores cuidados a las especies vegetales que a las necesidades de su tripulación.

Una tradición en Tahití señala que cuando Taaroa, el dios principal, dio forma con tierra roja al primer hombre, también le dio ese barro como comida, hasta la creación del árbol del pan, el primer alimento verdadero de la humanidad.

El árbol de fruta de pan es muy atractivo desde el punto de vista ornamental, con hojas largas de bella forma. Las frutas se pegan directamente de las ramas, por medio de unos palitos cortos y gruesos. Por fuera, la fruta de pan se parece un poco a la piña. La cáscara tiene un dibujo de cuadritos, pero es lisa, no en relieve como la piña. La pulpa es blancuzca cuando está verde, y amarillenta cuando madura. Hay cerca de cuarenta variedades de esta planta, pero las que se consiguen comúnmente en Costa Rica son dos: la conocida propiamente como "fruta de pan", que no tiene semillas, y la llamada "castaño", por sus numerosas semillas con sabor a castaña.

La fruta debe su nombre a su alto contenido de almidón, que permite usarla como sustituto del pan, que es precisamente lo que hacen en las Antillas. Es un ingrediente permanente en muchos platillos caribeños de la cocina de Limón. Se puede cocinar al horno, sea entera o en trozos. También se puede hervir en agua salada. Cuando está sazona, puede reemplazar a la papa en muchas recetas. Cuando no está madura, es exquisita frita, o en sopas y picadillos; pero si se deja madurar, puede usarse en dulces o atoles.

Breadfruit

English: Breadfruit
Spanish: Fruta de pan
French: Arbre á pain
Scientific name: *Artocarpus communis* J.R. & G. Forster
Botanic family: Artocarpaceae

Breadfruit, as bananas and so many others, is grown in the Atlantic region. This fruit, of Polynesian origin, was also introduced to the West Indies by Captain Bligh, and the Jamaicans planted it in Limon. It is often linked to the mutiny of the "Bounty", in 1787, since that voyage of Captain Bligh's was commissioned by Great Britain with the mission of introducing breadfruit plants from Tahiti to the Caribbean Islands, to better the slaves' diet in the plantations.

There is a religious tradition in Tahiti that says that after Taaroa, the main God, created the first man from red soil, he gave him that same soil for food, until the creation of the breadfruit tree, the first real human food.

There are about forty different varieties of this fruit, but only two are commonly found in Costa Rica: the seedless variety, properly known as bread-fruit, and the one called "chestnut", for its many chestnut-flavored seeds.

The breadfruit is an atractive ornamental tree with large leathery leaves. The fruits are produced on the branches of the tree upon short, thick stalks. Their skin, a thick warty rind, slightly ressembles the pineapple. It has a pattern of small squares, but smooth, not lumpy. The pulp is fibrous, pure white when green, and yellowish when ripe.

The fruit owes its name to its high content of starch,

which permits it to be used as a substitute to bread, which is precisely what is done in the West Indies. It is a regular ingredient in many Caribbean dishes cooked in Limon. It can be baked, whole or in pieces. It can also be boiled in salted water. Unripe, it can be used in place of potatoes in many recipes. Unripe breadfruit is also delicious in soups and stews, and can also be fried. When ripe, it is excellent for sweets and desserts.

Fruta de pan
Foto: Joanna Badilla

Granadilla

Español: Granadilla
Inglés: Sweet granadilla
Francés: Grenadille
Nombre científico: *Passiflora ligularis* Jussieu
Familia botánica: Passifloraceae

Si vamos a hablar de las frutas que en otras tierras sorprenden y son consideradas extrañas, hay que mencionar la granadilla, una de las favoritas de los pueblos de América Central. Esta fruta es de forma ovalada, y de color anaranjado o anaranjado-café. Cuando se corta la cáscara quebradiza, aparece un grupo de semillas rodeadas de un líquido dulce casi traslúcido.

No hay que sentirse cohibido por la extraña apariencia. Se debe tomar una cuchara, y comerse la fruta sin más preámbulo, con todo y semillas. La experiencia será sin duda placentera.

Algunas personas la prefieren bien fría, pero a temperatura ambiente es igualmente deliciosa y refrescante. Contrariamente a lo que podría pensarse, la ingestión de las semillas no hace ningún daño. En este caso, el exotismo se acompaña de aventura, y el frescor es recompensa para un paladar refinado.

Sweet granadilla

English: Sweet granadilla
Spanish: Granadilla
French: Grenadille
Scientific name: *Passiflora ligularis* Jussieu
Botanic family: Passifloraceae

Talking different and exotic, though, we'll have to mention the sweet granadilla, a favorite among the people of Central America. This fruit is oval in shape, orange to orange-brown in color. You cut the crisp skin, and you find a bundle of seeds, surrounded by an almost liquid translucent pulp.

One must not be discouraged by the strange look. Pick up a spoon, and eat the fruit out of hand, seeds and all. It will be a pleasant experience.

Some people like it better when very cold, but at room temperature is equally delicious and refreshing. Eating the seeds, strange as it may seem, does no harm to your digestion.

In this case, exotic taste goes hand in hand with a refreshing sensation that is a bonus for a refined palate.

Guanábana

Español: Guanábana
Inglés: Soursop
Francés: Anone écailleuse, pomme-cannelle
Nombre científico: *Annona muricata* Linnaeus
Familia botánica: Annonaceae

Hay una fruta más en la familia extraordinaria de las anonáceas, la guanábana, que no tiene competencia para la preparación de helados y refrescos. Es la más grande de las anonas, y en Costa Rica se pueden encontrar fácilmente algunas que pesan hasta dos kilos y medio.

La delgada cáscara verde tiene una apariencia escamosa, pero es casi lisa. Su carne es muy blanca, de textura algo algodonosa, jugosa y muy perfumada. No es dulce, como sus primas, sino más bien ácida, y es precisamente esta característica la que la hace perfecto ingrediente para bebidas, postres y helados.

Algunos extranjeros encuentran que su sabor se parece al de la piña y el mango, pero eso a los costarricenses les parece una herejía.

La palabra guanábana es de origen caribeño, y más específicamente, de las tribus taínas.

Soursop

English: Soursop
Spanish: Guanábana
French: Annone écailleuse, pomme-cannelle
Scientific name: *Annona muricata* Linnaeus
Botanic family: Annonaceae

There is still another fruit in the extraordinary family of the Annonaceaes, the soursop, unrivaled for the preparation of sherbets and refreshing beverages. It is the largest of the annonas, and in Costa Rica you can easily find some weighing up to two and a half kilos.

The thin green rind has a scaly looking, yet smooth, pattern. The flesh is very white, somewhat cottony in texture, juicy and highly aromatic. It is not sweet, as its cousins, but acid, and it's precisely its acidity that makes it perfect as a base for drinks, desserts and ice creams. It also has many dark seeds.

Foreigners find the flavor somewhat suggesting that of the pineapple and the mango, but Costa Ricans consider that to be an heresy.

Guapinol

Español: Guapinol
Inglés: Stinking toe
Francés: Caupinol
Nombre científico: *Hymenaea courbaril* Linnaeus
Familia botánica: Fabaceae /Caesalpinioideae

Un bello árbol que se cultiva desde México hasta el centro de Sur América, su fruta es una vaina ancha y no muy larga, de color achocolatado. Contiene varias semillas envueltas en un polvillo amarillo-blancuzco de sabor dulce, y olor penetrante.

Se come aquí desde la época precolombina, y su nombre viene del náhuatl (*quauitl*= árbol; *pinolli*= maíz molido).

Este árbol de nuestras tierras costeras del Pacífico, es muy famoso por producir la resina que, al fosilizarse, es la fuente principal del ámbar neo-tropical.

Stinking toe

English: Stinking toe
Spanish: Guapinol
French: Caupinol
Scientific name: *Hymenaea courbaril* Linnaeus
Botanic family: Fabaceae /Caesalpinioideae

A beautiful tree grown from Mexico to Central South America, its fruit is an elongated pod, chocolate colored. Its hard skin encases several seeds, wrapped in a dry white-yellowish powder, which, despite its awful name in English, tastes sweet. It must be said, though, that its smell is strong and peculiar.

It has been eaten here since pre-Columbian times, and its name comes from the nahuatl *quauitl* (tree), and *pinolli* (ground corn).

This large tree of our Pacific coastal lowlands, is most famous for producing a resin that, when fossilized, is the source of most Neo-tropical amber.

Guaba

Español: Guaba
Inglés: Inga
Francés: Inga
Nombre científico: *Inga* spp.
Familia botánica: Mimosaceae

En Costa Rica se cultivan más de veinticinco variedades de esta fruta, originaria de estas tierras. Hasta hace poco tiempo eran muy comunes en las haciendas cafetaleras y cacaoteras, en donde el árbol se ha utilizado para dar sombra a los cultivos.

Las guabas son bayas leguminosas, de color verde o café, de diversas formas y tamaños, que contienen varias semillas cubiertas por una carne dulce, blanca y aterciopelada.

La pulpa se come cruda. Sus semillas verdes y brillantes se usan en algunos pueblitos como ingrediente de la popular "olla de carne", la tradicional sopa de carne y verduras. En la escasez que sobrevino durante la Primera Guerra Mundial, eran comunes para el almuerzo las semillas de guaba con huevo revuelto, costumbre que hoy ha desaparecido casi por completo.

Inga

English: Inga
Spanish: Guaba
French: Inga
Scientific name: *Inga* spp.
Botanic family: Mimosaceae

More than twenty five varieties of this native fruit are cultivated in Costa Rica. Until very recently, they used to be very common in coffee and cocoa plantations, where they were planted as shade trees.

These fruits are leguminous green- brown pods, of many shapes and sizes, that contain several seeds, covered by a sweet, velvety, milky white pulp.

The pulp is eaten fresh. Its green waxy seeds are, in some country towns, an ingredient of the popular "Olla de carne" (traditional meat and vegetables soup). During the hard times of World War I, scrambled eggs with cooked inga seeds was a common sight in every household, but that dish has practically disappeared nowadays.

Guayaba

Español: Guayaba
Inglés: Guava
Francés: Goyave
Nombre científico: *Psidium guajava* Linnaeus
Familia botánica: Myrtaceae

La guayaba es ovalada o redonda, con suave cáscara de color amarillo, y su tamaño varía desde unos seis hasta unos ocho centímetros (entre 2" y 3") más o menos. El color de la pulpa varía desde el blanco hasta el rosado o el color salmón. El sabor puede ser muy dulce, y tiene muchas semillitas dentro de la pulpa, razón por lo cual en náhuatl se le llamó *xalxocotl*, que significa ciruela arenosa. La palabra guayaba pareciera tener origen en la lengua de los taínos de la Isla Española, actualmente República Dominicana y Haití. En Costa Rica crece silvestre y aún hoy, aunque en menor medida, sigue siendo favorita de los niños que se aventuran por potreros y cafetales

Fue Fernández de Oviedo el europeo que primero se refirió por escrito a la guayaba, en 1526, y describió la fruta como bella y apetecible. “Su flor huele mejor que el jazmín”, dijo el cronista español.

La fascinación latinoamericana con la guayaba ha crecido con el tiempo, y la fruta está muy presente en la historia del continente. No es de extrañar que Pancho Villa (el revolucionario mejicano) usara la palabra guayaba en su código militar secreto. Su significado: “Póngase en contacto con el General Villa”. Un libro-entrevista de Plinio Apuleyo Mendoza sobre el escritor Gabriel García Márquez, lleva como sugerente título “El olor de la guayaba”. Para entender el universo sensorial contenido en esa frase, basta una visita a un hogar en el que se guarda un canasto de la fruta, o en el que la señora de la casa esté preparando jalea de guayaba. El proceso es un verdadero deleite para el sentido del olfato, lo que no es de extrañar si pensamos que esta fruta tiene algunos elementos similares a los de la canela y el clavo. La jalea de guayaba recién preparada es una verdadera aventura gastronómica.

Cuando el soviético Anastas Mikoyan visitó Cuba por primera vez en 1960, un postre cubano tradicional, casquitos de guayaba con queso, se convirtió en uno de sus favoritos. Por eso, no es raro que los norteamericanos de origen cubano mantengan en los Estados Unidos la tradición de la Isla, y sean grandes consumidores de jaleas y conservas de guayaba.

Uno de los dulces tradicionales costarricenses es la pasta de guayaba, que se come sola, como bocadillo o como postre rápido, o bien acompañada de quesos suaves. Además de preparar con ella mermeladas y conservas, la fruta se come fresca, a veces con una pizca de sal.

Guava

English: Guava
Spanish: Guayaba
French: Goyave
Scientific name: *Psidium guajava* Linnaeus
Botanic family: Myrtaceae

The guava is round or ovoid, aproximately six to eight centimeters (2" to 3") in length, and the skin, soft as the pear's, is usually yellow in color. The color of the flesh varies from white to deep pink or salmon red. The flavour is perhaps sweet, and it has numerous small hard seeds embedded in the highly aromatic flesh.

The term *guayaba* is believed to derive from a word used by the Tainos of Hispaniola (today, Dominican Republic and Haiti). In Nahuatl, the fruit is called *xalxocotl*, meaning sand-plum, in reference to its numerous seeds. Guavas grow wild in Costa Rica, and even today they are a treat for children who wonder through farms and coffee groves.

It was also Fernández de Oviedo the first European to give written account of the guava, in 1526. He described the fruit as beautiful and appetizing. "Guava flowers smell better than jasmine", he said.

Ibo

Español: Ibo, almendro
Inglés: Ebboe
Francés: Ibo
Nombre científico: *Dipteryx panamensis* (Pittier) Record
Familia botánica: Fabaceae / Papilionoideae

El nombre con que se le conoce en la región atlántica de Costa Rica viene del Africa. Los ibos fueron un grupo étnico que vivía cerca de Biafra, tierras desde las cuales se trajeron muchos esclavos al Nuevo Mundo durante el período colonial. Los esclavos de esa etnia eran considerados una mala inversión por los dueños de las plantaciones, ya que se decía que requerían un trato demasiado suave. Su reputación como suicidas se extendió por todo el continente.

El árbol es bello, con grandes ramos de flores rosadas. La fruta, que comúnmente se come cruda, es carnosa y dulce, de color pardusco y forma oblonga, de unos 6 ó 7 centímetros de largo y unos tres y medio de ancho. Su única semilla contiene mucho aceite, y se come cocida o tostada. También se usa en la preparación de jabones de tocador.

Se encuentra principalmente en la región atlántica. En otras regiones del país se le llama "almendro".

Ebboe

English: Ebboe
Spanish: Ibo, almendro
French: Ibo
Scientific name: *Dipteryx panamensis* (Pittier) Record
Botanic family: Fabaceae / Papilionoideae

The name by which this fruit is known in Costa Rican Atlantic coast, comes from Africa. Ebboes where an ethnic group living near the Bight of Biafra, from which many slaves where brought to the New World during the colonial period. Slaves from this ethnia where considered a bad investment by plantation owners, because they were supposed to require gentle treatment. Their reputation for suicide extended throughout the Continent.

The tree is beautiful, with large clusters of pink flowers. The brownish fruit, six to seven centimeters long and about three and a half in width, has a sweet pulp, and is eaten fresh. Its only seed has a high oil content, and is eaten boiled or toasted. It is also used in the soap industry.

Grown mainly in the Atlantic region, it is known as "chestnut" in other parts of the country.

Icaco

Español: Icaco
Inglés: Coco-plum
Francés: Icaque
Nombre científico: *Chrysobalanus icaco* Linnaeus
Familia botánica: Rosaceae

El nativo icaco, pariente del níspero, nunca se come crudo, pero su carne es deliciosa para hacer una conserva que se llama "miel de icaco".

El español Juan García de Argueta menciona que caminando por la playa en 178[illegible], vio la fruta, de color rojo, y que es muy buena en conservas y mermeladas. Otro español, Antonio de Villar Hevia, quien viajó aproximadamente por la misma época por los territorios del Atlántico, afirma que la única cosa comestible que halló fueron icacos.

El árbol es pequeño, de poco más de metro y medio de alto, con copa amplia. El fruto, que es de unos cuatro centímetros (1 1/2") de largo, se parece un poco a la ciruela. Es de color verde que se vuelve rosado o púrpura al madurar. La cáscara es delgada, y la carne blanca está adherida a su única semilla, que también es comestible. Por su alto contenido de aceite, la semilla se utiliza en la fabricación de candelas.

La palabra "icaco" se dice que viene de la lengua taína, de los aborígenes de la antigua Isla de Santo Domingo.

Coco-plum

English: Coco-plum
Spanish: Icaco
French: Icaquc
Scientific name: *Chrysobalanus icaco* Linnaeus
Botanic family: Rosaceae

The native coco-plum, a relative of the loquat, is never eaten fresh, but its white flesh is made into a sweet preserve, called "miel de icaco".

Walking near the beach, in 1737, the Spaniard Juan García de Argueta mentions to have seen the red fruit, good for preserves and marmalades. Another Spaniard, Antonio de Villar Hevía, who had to cross the Atlantic territories at about the same time, mentions that the only edible thing he could find was the coco-plum.

It is a small tree, about a meter and a half high. The fruit is aproximately four centimeters (1 1/2") long, and slightly resembles a large plum. It is green, and turns pink or almost purple when ripe. The skin is thin, the pulp is white, and it adheres closely to the large seed, which is also edible. and has a high oil content. It is used in the manufacturing of candles.

The name is supposed to come from the aboriginal inhabitants of the Island of Santo Domingo, the Tahino Indians.

Jobo

Español: Jobo
Inglés: Yellow mombin
Francés: Mombin jaune, prune Mirobalan
Nombre científico: *Spondias mombin* Linnaeus
Familia botánica: Anacardiaceae

El nombre náhuatl de esta especie fue probablemente *cozticxocotl.* El jobo se come usualmente crudo, como su primo el jocote. A esta variedad se le llama también, en inglés, ciruela de cerdos de monte, porque esos animales se alimentan con la fruta que cae de los árboles silvestres en la selva.

Colón la vio en sus primeros viajes, y la confundió con el mirobalano. Pronto los conquistadores españoles en sus largas jornadas no sólo buscaban la rica fruta, sino la sombra del jobo para poner sus hamacas o hacer sus camas, ya que las ramas los defendían del frío de la noche. Con el agua almacenada en sus raíces saciaban la sed, lo que aprendieron de los pobladores indígenas.

La fruta es ovalada, amarillo brillante, con cáscara delgada, de unos dos y medio a cinco centímetros (1" a 2") de largo. La pulpa es amarilla, muy suave y jugosa, a veces dulce y otras muy ácida.

Esta planta es sembrada también por sus aromáticos racimos de flores blancas.

Yellow mombin

English: Yellow mombin
Spanish: Jobo
French : Mombin jaune, prune Mirobalan
Scientific name: *Spondias mombin* Linnaeus
Botanic family: Anacardiaceae

The probable nahuatl name of this species was *cozticxocotl.* It is usually eaten fresh, as is its cousin, the mombin. This one is also called hog-plum, because hogs are very fond of it, and feed on the fruit that falls to the ground from wild trees in the forest.

Columbus saw this fruit in his first voyages, and soon Spanish conquistadores looked for this tree on their long journeys, not only to eat the fruit, but to set their hammocks or beds underneath its protective shadow. They also cured their thirst with the water kept in its roots, and this they learned from the Indians.

The fruit is ovoid, bright yellow, with a thin skin, two and a half to five centimeters (1" to 2") in length. The flesh is also yellow, very soft and juicy, sometimes sweet and others very acid.

The tree is also grown for its aromatic clusters of beautitiful white flowers.

Jocote

Español: Jocote
Inglés: Red mombin
Antillas: Spanish plum
Francés: Prunier d'Espagne, prunier rouge, mombin rouge
Nombre científico: Spondias purpurea Linnaeus
Familia botánica: Anacardiaceae

Si se quiere de veras tener una aventura culinaria, hay que probar esa deliciosa y diferente fruta tropical que se llama jocote. *Zacaxocotl* era el nombre en lengua náhuatl, lo que demuestra la valía en que la tenían esos pueblos. *Xocotl* significa fruta; esto es, el jocote era "la" fruta por excelencia.

Esta fruta es jugosa y sabrosa, y por su forma se parece a algunas ciruelas europeas. Su sabor, sin embargo, es muy distinto, y para opinar sobre ella hay que comerla y dar el propio veredicto. Los vendedores callejeros venden bolsas de papel café llenas de jocotes, de agosto a octubre. Hay distintas variedades de esta fruta en Costa Rica, y el color varía según la madurez, de verde oscuro a rojo brillante, llegando hasta el morado en ciertos tipos. Es dulce y jugosa cuando está madura, y ácida y firme cuando está verde.

Los españoles, cuando lo vieron por primera vez, creyeron que se trataba de un tipo de ciruela y lo bautizaron con ese mismo nombre. Todavía hoy en las antiguas colonias británicas se le conoce como ciruela española.

Los indios hacían un vino de jocote excelente, que se mantenía por un año, y que se dice era mejor que la cidra de manzana de Viscaya. También se han hecho con esta fruta vinagres y salsas desde la época precolombina. Tradicionalmente, los jocotes llamados "tronadores" se han considerado los mejores, por su dulzura y tamaño. También ha sido favorito, entre las variedades cultivadas, el sismoyo.

Comúnmente, el jocote se come fresco, pero también se hace en conserva.

Mombin

English: Mombin
British colonies: Spanish plum
Spanish: Jocote
French: Prunier d'Espagne, prunier rouge, mombin rouge
Scientific name: *Spondias purpurea* Linnaeus
Botanic family: Anacardiaceae

Nevertheless, if you want to have a real culinary adventure, you must try that very tropical, different, fruit, called mombin. *Zacaxocotl* was the Nahuatl term for it, *xocotl* meaning "fruit". That is "the" fruit, the best of all.

This fruit is juicy and spicy, and its appearance is somehow similar to some European plums. The taste is very different, though, and to assess it you must eat it and give your own veredict. Street vendors sell brown paper bags full of them from August through October. There are several types of this fruit in Costa Rica. Its color varies from dark green to bright red, or even purple, depending on ripeness. It's sweet and juicy when ripe, tart and tangy when green.

The Spaniards thought it was a type of prune when they first saw it, and they gave it that same name. It is still called *Spanish-plum* throughout the former British colonies.

Indian people used to make good mombin wine, that could last a year, and was said to be better than apple cider from Viscaya. Vinegars and sauces have also been made from this fruit since pre-Hispanic times.

Traditionally, mombins called *tronadores* have been considered the best, for its sweetness and size. Another cultivated variety, the *sismoyo*, has also been a favorite.

The mombin is commonly eaten raw, and also made into preserves.

Mamón

Español: Mamón; mamoncillo en Cuba
Inglés: Mamon o genip
Francés: Quenette o knepe.
Nombre científico: *Melicoccus bijugatus* Jacquin
Familia botánica: Sapindaceae

Esta pequeña fruta redonda, del tamaño de una uva grande, tiene cáscara gruesa, verde, quebradiza; crece en racimos. Su pulpa rosada y translúcida puede ser muy dulce. Se parece mucho a la del li-chi chino (*Litchi sinensis*). Sin embargo, ciertas variedades, sobre todo si no están bien maduras, pueden ser muy ácidas, lo que le ha valido en el Sur de la Florida el nombre de lima española.

Cuando la cosecha de maíz no era abundante, muchas tribus aborígenes del continente molían las semillas del mamón, que suelen ser dulces, para hacer pan y se alimentaban con ellas en esos tiempos difíciles.

Actualmente, se acostumbra comerla cruda, aunque también se utiliza para refrescos. Pero, ¡cuidado!, su jugo mancha la ropa con un color café oscuro imposible de quitar, y los niños deben tener cuidado con la semilla, para que no se les vaya a ir por mal camino. En las escuelas se acostumbraba usarlas de proyectiles, lo que dio origen a múltiples expresiones en el lenguaje vernacular.

Mamon

English: Mamon or genip
Spanish: Mamón
French: Quenette or knepe.
Scientific name: *Melicoccus bijugatus* Jacquin
Botanic family: Sapindaceae

This round small fruit, the size of a large grape, has thick and leathery green skin. It grows in clusters. Its pink flesh may sometimes be very sweet. It very much resembles that of the lychee (*Litchi sinensis*). Some varieties, though, are very acid, especially when not ripe, and that is why it has been called Spanish-lime in Southern Florida.

When the yield of the corn harvest was not enough, many aboriginal tribes in the Continent used to grind the sweet seeds to make bread, and ate it during those difficult times.

Nowadays, it is eaten fresh, and also made into beverages. Be careful, though, because if its juice splatters on your clothes, you will get ugly dark brown spots almost impossible to remove, and children must be very carefull not to swallow the seeds. Kids used to throw these seeds as bullets, giving origin to many colorful vernacular expressions.

Mamón chino

Español: Mamón chino
Inglés: Rambutan
Francés: Litchi rambutan, litchi chevelu
Scientific name: *Nephelium lappaceum* Linnaeus; *Nephelium ramboutanakee* (Labillardiere) Leenhouts
Botanic family: Sapindaceae

La vista más exótica en un mercado de Costa Rica es, sin duda, el sitio en donde se venden mamones chinos. Las bateas de frutas rojas y anaranjadas, a las que a veces se les llama *li-chi peludos*, que parecen frutillas cubiertas de espinas, atraen a muchos compradores. No se le debe hacer caso a las espinas, que no lo son en realidad. La fruta es muy suave al tacto y fácil de usar. A la vista, es mucho más atractiva que el mamón simple con su cáscara verde. La carne es transparente, y muy parecida a la de la uva. La segunda variedad mencionada arriba tiene espinas más cortas y gruesas. El *Nephelium lappaceum* las tiene más largas y suaves.

Para comerla, hay que cortar la cáscara con un cuchillo filoso o una tijera apropiada, y sacar la pulpa. Es muy buena en una ensalada de frutas mixtas, pero también se puede usar en salsas agridulces.

El mamón chino es en realidad nativo de la Península de Malasia, y su introducción en Costa Rica es más bien reciente. Su nombre significa "peludo", ya que *rambut* quiere decir pelo en malayo.

Algunas veces se pueden conseguir en ramos, y son muy atractivos para decorar la mesa.

Rambutan

English: Rambutan
Spanish: Mamón chino
French: Litchi ramboutan, litchi chevelu
Scientific name: *Nephelium lappaceum* Linnaeus; *Nephelium ramboutanakee* (Labillardiere) Leenhouts
Botanic family: Sapindaceae

If there is an exotic sight in a fruit market in Costa Rica, it has to be the rambutan stand. The bunches of red and orange fruits, sometimes called hairy lychees, looking like gooseberries covered in fleshy spines, attract many customers. Pay no attention to the spikes: the fruit is in fact soft to touch and easy to handle. The flesh is transparent, and similar to that of the grape. The variety called *rambutan-akee* has shorter and wider spikes; the *Nephelium lappaceum*, which is more common, has longer and softer ones.

To eat them you must cut the leathery rind with a sharp knife or pointed scissor, and pull back from the pulp. It is much more attractive than the mamon, with its green, leathery covering. It is wonderful in a mixed fruit salad, but you can also use it for sweet-sour sauces.

The rambutan is native to the Malay Peninsula, and was introduced in Costa Rica in a relatively late date. The name means "hairy one", since *rambut* means hair in Malay.

Occasionally, you can buy them in clusters, and they make very interesting table decorations.

Mango

Español: Mango
Inglés: Mango
Francés: Mangue
Nombre científico: *Mangifera indica* Linnaeus
Familia botánica: Anacardiaceae

La mayoría de la gente ha tenido sobrenombres en uno o en otro momento de su vida. Lo que no es tan común es que haya un lugar en el que la persona es mirada por unos segundos, y la rebautizan en un abrir y cerrar de ojos. El Parque Central de Alajuela es el lugar en el que los presidentes, los ministros, y casi todo el mundo, reciben sus sobrenombres en Costa Rica. Existe una vieja tradición de que los alajuelenses pueden olvidar los nombres de los demás, pero jamás sus apodos.

Ese parque, en el que jóvenes y viejos se reúnen a disfrutar del buen tiempo, está lleno de árboles de mango, con su tentadora fragancia, y es por eso que la provincia, segunda en importancia del país, se conoce como "la Ciudad de los Mangos".

Los mangos alajuelenses son dulces, firmes y delicados. Hay mangos y hay mangas. Los primeros son más dulces y sabrosos, pero pequeños y suaves. Las segundas son de mayor tamaño, nunca resultan fibrosas, y pueden estar maduras aun cuando la cáscara se vea verde. El aroma es a menudo sabroso y llamativo, una indicación del sabor de la fruta. Hay que probar ambas variedades, porque son muy diferentes.

Esta fruta se puede comprar casi en todas partes en Costa Rica, pero los mangos alajuelenses son más famosos.

Pocas frutas tienen una historia tan amplia como el mango, ni tan íntimamente ligada a las creencias religiosas. Se dice que el mismo Buda recibió de regalo una planta de mango, para que pudiera encontrar reposo bajo su sombra.

Ni los poetas han podido resistir la tentación del mango. El escritor turco-otomano Amir Kussau, escribió en el siglo catorce, en persa, los siguientes versos:

El mango es el orgullo del jardín
la mejor fruta del Hindostán,
otras frutas nos contentamos con comerlas maduras
pero el mango es bueno en cualquier estadio de desarrollo.

El nombre "mango" viene de la lengua tamil (*man-kay* o *man-gay*). Cuando los portugueses se asentaron en el occidente de la India, usaron la palabra mango.

Es también a los portugueses a los que se les da el crédito de haber traído esta fruta del Africa Occidental a América, y haberla plantado en Bahía, Brasil. En 1782 se llevó la planta de Río a Jamaica, y en pocas décadas se convirtió en una de las frutas más comunes en ese país. Sin embargo, también los españoles trajeron algunas plantas de las Filipinas a México.

Esta deliciosa fruta vino a Costa Rica por variados caminos. Pareciera haber llegado primero en 1796, junto con el café y la canela. Por ahí de 1830 trajeron de Cuba otra variedad, que se sembró en San José. Pocos años antes, se importó el mango agrio de Perú, y en fechas posteriores los inmigrantes jamaiquinos sembraron otras variedades en Puerto Limón.

Además de comerlo como postre, los costarricenses preparan *chutney* de mango —esa condimentada salsa muy conocida para los que gustan de la cocina oriental— conservas, refrescos, salsas y pasteles.

Para mucha gente, los mangos son la definición misma del verano, la primera fruta del Paraíso. Después de probar algunas de las recetas que preparan los costarricenses con ella, es imposible no sentirse inclinado a estar de acuerdo con este criterio.

Mango

English: Mango
Spanish: Mango
French: Mangue
Scientific name: *Mangifera indica* Linnaeus
Botanic family: Anacardiaceae

Most people have had nicknames at one moment or another. But what is not so common is to have a special place where people are stared at for a second, and re-christened in a glance. Alajuela's Central Park is the place where Presidents, Ministers, and almost anybody who is somebody get their nicknames in Costa Rica. It is a long standing tradition that Alajuelenses may well forget other peoples' names, but never their nicknames.

The park where young and old gather and enjoy the good weather, is full of mango trees, with their tempting fragrance, and that is why the province, second in importance only to San José, is called Mango City. Alajuela's mangoes are sweet, firm and delicate. There are "male" mangoes (*mangos*) and "female" mangoes (*mangas*). The former are sweeter and spicier, yet smaller and softer. The latter ones are bigger, never stringy and may be ripe even if their skin is green. The aroma is often spicy and alluring, an indication of the flavor of the fruit. Try both varieties because they are really different.

You can buy this fruit throughout Costa Rica, but the mangoes from Alajuela are the most saught after.

Few other fruits have a historical background as developed as the mango, and few others are so inextrincably connected with religious beliefs. Buda himself is said to have been presented with a mango grove, so that he might find rest beneath its grateful shade.

Even poets have not been able to resist the mango temptation. The Turkoman writer Amir Kussau, wrote in this effect in Persian verse, in the fourteenth century:

The mango is the pride of the garden
the choicest fruit of Hindustan,
other fruits we are content to eat when ripe,
but the mango is good in all stages of growth.

The name mango comes from the Tamil language: man-kay or man-gay. When the Portuguese settled in Western India, they formed the word mango.

The Portuguese are given credit for bringing the mango from West Africa to America, and planting it at Bahia, Brazil. In 1782, the plant was sent to Jamaica from Rio. In a few decades, it was one of the commonest fruit trees in that country. The Spaniards also brought some plants from the Phillipines to Mexico.

This delectable fruit came to Costa Rica by different roads. It was first brought to this country in 1796, in the company of coffee and cinnamon. By 1830, another variety came from Cuba, and was planted in San José. A few years before that, the *mango agrio* was imported from Peru, and in later dates, West Indian immigrants planted still other varieties in Limón.

Besides eating them as dessert fruits, Costa Ricans make mangoes into chutney,—the spicy sauce well known to all of those who like Oriental food—, preserves, drinks, sauces and pies.

For many people, mangoes are supposed to be the very definition of summer, the fruit of Paradise. After sampling any of the recipes Costa Ricans prepare with them, one is inclined to accept the point.

Manzana de agua

Español: Manzana de agua
Inglés: Ohia or mountain-apple
Francés: Jamelac
Nombre científico: *Syzigium malaccensis* (Linnaeus) Merrill
Familia botánica: Myrtaceae

La manzana de agua es una bellísima fruta ovalada, de más de ocho centímetros (3") de largo, cuyo color va desde el blanco hasta el rojo.

Su carne es firme, parecida a la de la manzana, blanca y jugosa. Es nativa de Malasia, y se le conoce por sus grandes flores escarlata.

Se come fresca y en dulces. La jalea de manzana de agua es exquisita.

Ohia/Mountain apple

English: Ohia or mountain-apple
Spanish: Manzana de agua
French: Jamelac
Scientific name: *Syzigium malaccensis* (Linnaeus) Merrill
Botanic family: Myrtaceae

The ohia or mountain-apple is a beautiful oval fruit, white to crimson in color, usually more than eight centimeters (3") in length.

Its flesh is crisp, "apple-like", white and juicy. It is a plant native to Malasia, and is known for its large scarlet flowers.

It is eaten fresh, and made into many desserts. The ohia jam is exquisite.

Manzana rosa

Español: Manzana rosa
Inglés: Rose apple
Francés: Pomme-rose
Nombre científico: *Syzygium Jambos* (Linnaeus) Alston
Familia botánica: Myrtaceae

La fragancia de la guayaba solo tiene rival en la de la manzana rosa, una bella fruta redonda, cuyo color va desde el blanco verdoso hasta el amarillo-albaricoque, y que tiene el perfume de las rosas.

La carne es firme, jugosa y dulce. Es deliciosa como conserva o cristalizada. Si se come cruda, no hay que abusar. Se debe comer en pequeñas cantidades.

Se puede cultivar simplemente como árbol ornamental en todas las regiones tropicales o sub-tropicales. Su follaje y su fruto se usan también para decoración.

Se cultivó en un principio en el sur del Asia, y de allí se extendió por varios otros continentes.

Rose apple

English: Rose apple
Spanish: Manzana rosa
French: Pomme -rose
Scientific name: *Syzygium jambos* (Linnaeus) Alston
Botanic Family: Myrtaceae

The fragrance of the guava is only rivaled by that of the rose apple, a beautiful round fruit, whitish green to apricot-yellow in color, perfumed with the odor of the rose.

The flesh is crisp, juicy and sweet. As a preserve or crystallized, it is delicious. If you eat it fresh, don't over do it. They must be eaten in small quantities.

It can be grown simply as an ornamental tree, in all tropical and sub-tropical regions. It is also used for table decorations.

It was first cultivated in Southern Asia, and then spread throughout other continents.

Maracuyá

Español: Maracuyá
Inglés: Passion-fruit
Francés: Grenadille, maracuya
Nombre científico: *Passiflora edulis* Sims
Familia botánica: Passifloraceae

Pariente cercana de la granadilla, la maracuyá costarricense, originaria del Brasil, es ovalada, amarilla, con una cáscara brillante que se arruga conforme va madurando.

El nombre que se usa en inglés (fruta de la pasión), aunque en un primer momento pareciera romántico, es más bien el resultado de hondos sentimientos religiosos. La flor dorada y blanca del maracuyá es tan bella y compleja, que los misioneros españoles estaban convencidos de haber encontrado en ella los signos de la Pasión de Cristo: las cinco llagas, los tres clavos, la corona de espinas, y hasta los apóstoles, como símbolo de la necesidad de llevar el catolicismo al Nuevo Mundo. En los países de la América tropical, la flor conserva el término místico, pero la fruta se conoce más bien con el nombre maracuyá, de origen africano.

Esta fruta se corta a la mitad, y se saca con cuchara la pulpa agridulce y las semillas. Después de licuarla, es mejor colarla para quitar los restos de las semillas. Se usa en ensaladas de frutas, postres, refrescos y cocteles. También es buena rociada sobre otras frutas, para acentuarles el sabor. Es una buena fuente de vitaminas C y A.

Passion-fruit

English: Passion-fruit
Spanish: Maracuyá
French: Maracuya
Scientific name: *Passiflora edulis* Sims
Botanic family: Passifloraceae

A cousin of the sweet granadilla, the Costa Rican passion-fruit, originally native to Brazil, is ovoidal, yellow colored, with a shiny skin that becomes wrinkled on ripening.

The name that survives in English, romantic at first glance, is more a fruit of the result of deep religious feelings. The golden white flower of the passion-fruit is so beautiful and complex, that Spanish missionaries were convinced to have found in it the signs of Christ's passion: the Five Wounds, the Three Nails, the Crown of Thorns, and even the Apostles!, as a symbol of the need to spread catholicism in the New World. In the countries of Tropical America the flower kept the mystic name, but the fruit is better known by the term "maracuyá", of African origin.

You have to cut the fruits in half and spoon out the acid sweet pulp and the seeds. After putting it in the mixer, it is better to strain it to get rid of the seeds. It is used in fruit salads, creamy desserts, drinks and punches.

Passion-fruit is also excellent sprinkled over other fruits, to enhance their flavour. It is a good source of vitamins A and C.

Marañón

Español: Marañón
Inglés: Cashew
Francés: Pomme cajou, pomme d'acajou, anacarde
Nombre científico: *Anacardium occidentale* Linnaeus
Familia botánica: Anacardiaceae

Los mangos tienen un primo que a los europeos les parece todavía más exótico, el marañón, cuya parte carnosa se come fresca.

Esta especie, originaria del Brasil, es bastante peculiar. Desde el punto de vista botánico, la semilla gris, curvada, que tiene pegada al extremo de la parte carnosa, es la verdadera fruta. Lo que nosotros llamamos la fruta, es en verdad el eje que une la flor a la rama, que se transforma en una baya suculenta. Sus brillantes colores, que van desde el amarillo hasta el rojo escarlata, y su penetrante aroma, se combinan para hacerla uno de las más agradables alimentos tropicales. Su pulpa es de color amarillo, suave, muy jugosa, agridulce, y muy gustosa.

Gracias a su penetrante olor, la jalea de marañón posee una calidad muy agradable. También se usa para hacer vino, y una bebida refrescante, parecida a la limonada, que conserva el aroma y sabores tan especiales de la fruta fresca.

Las semillas de esta especie, crudas, son muy tóxicas, y no se deben asar en el hogar sin tomar precauciones, ya que inhalar el humo puede ser peligroso. Sin embargo, la semilla tostada y pelada es muy sabrosa, y se puede comprar en todas partes.

La palabra inglesa *cashew* es una adaptación del término portugués *caju*, que a su vez viene del *acaju* de la lengua de los tupis, aborígenes brasileños. El español *marañón* se supone que se deriva del estado brasileño de Maranhao.

Un hecho interesante es que al final de la década del setenta, el Gobierno costarricense decidió sembrar hectáreas y hectáreas de marañón, para ser exportados al extranjero. La aventura resultó un fracaso financiero, pero muchos de los árboles todavía están allí, y hubo un maravilloso efecto secundario: pericos y loras adoran la fruta, y varias especies que estaban extinguiéndose han aumentado sus huestes con cenas gratuitas de deliciosos marañones.

Cashew

English: Cashew
Spanish: Marañón, jocote marañón
French: Pomme cajou, pomme d'acajou, anacarde
Scientific name: *Anacardium occidentale* Linnaeus
Botanic family: Anacardiaceae

Mangoes have a cousin that Europeans view as even more exotic: the cashew, whose fleshy portion or apple is used for fresh eating.

Native to Brazil, this species is rather peculiar. Strictly speaking, the gray, curved, single seeded nut attached to the blossom's end is the real fruit. What we call the fruit is really the peduncle, that transforms into the fleshy cashew-apple. Its brilliant shades of color, varying from yellow to flame-scarlet, and its penetrating aroma combine to make this one of the most delightful of all tropical foods. The flesh is yellow in color, soft, very juicy, acid and with a lot of zest.

Owing to its remarkably penetrating, almost pungent aroma, the jam made from its flesh possesses a characteristic and highly pleasant quality. It is also used to make both a wine and a refreshing beverage, similar to lemonade, which retain the special aroma and flavor of the fresh fruit.

The raw seeds of this species are highly toxic, and roasting them at home may be very dangerous if you inhale the smoke. Yet, the roasted and shelled nut is very tasty, and is sold commercially everywhere.

The English name *cashew* is an adaptation of the Portuguese name *cajú*, which in its turn came from the word *acajú*, in the aboriginal Brazilian Tupi language. The

Spanish name, *marañón*, comes presumably from the Brazilian state of Maranhão.

An interesting fact is that in the late seventies, the Costa Rican government decided to plant acres and acres of cashews, meant to be exported abroad. The venture was a financial failure, but some of the trees are still there, and there was a wonderful side effect: parakeets and parrots adore the fruit, and many species that were almost extinct are now increasing their flanks while elegantly dining on free cashew apples.

Membrillo

Español: Membrillo
Inglés: Quince
Francés: Coing
Nombre científico: *Cydonia oblonga* Miller
Familia botánica: Rosaceae

Esta fruta es nativa del Cáucaso asiático, y su uso está acreditado en Europa desde la Antigüedad. Se dice que en aquellos tiempos, los mejores membrillos se producían en la Isla de Cos. Su nombre se deriva del griego *melimelon*, que significa manzana de miel. El membrillo es ovalado, con cáscara verde-amarilla y su pulpa es dura y algo ácida.

Favorita de griegos y romanos, el membrillo era muy apreciado también por los conquistadores españoles, quienes la trajeron a Costa Rica. Era de uso común en la época colonial; la llamada "carne de membrillo", especie de pasta hecha con la fruta, sigue siendo popular en muchos lugares de España. En Costa Rica se le llamó jalea de membrillo.

El dulce de membrillo parece haber llegado a España con los moros en la temprana Edad Media. Actualmente sigue siendo platillo común de la cocina del Medio Oriente. El célebre Nostradamus incluyó en su Libro de Confituras, escrito en 1552, tres recetas para hacer esta jalea, que declaraba "adecuada para ser presentada a un Rey, por su soberana belleza, bondad, sabor y excelencia".

Muchos dulces se hacen con esta fruta en Cartago, la antigua capital costarricense, y fue ingrediente permanente en la dulcería de los viejos conventos y monasterios. Cuando se cocina con azúcar, el membrillo se pone rojo casi escarlata, y es excelente para varios tipos de jaleas y conservas. También se usa para agregarle sabor y color a recetas de peras y manzanas.

Quince

English: Quince
Spanish: Membrillo
French: Coing
Scientific name: *Cydonia oblonga* Miller
Botanic family: Rosaceae

This fruit is native to the Caucasus, in western Asia, and has been cultivated since ancient times. Its name comes from *melimelon*, the Greek word for honey apple. The quince is oval, with green-yellowish skin, similar to the pear and the apple. The pulp is hard and quite acid.

A favourite of Greek and Romans, who valued specially the quinces grown in the Island of [illegible], it was also loved by the Spanish conquistadores, who brought it to Costa Rica; quince paste is still very popular in many Spanish towns. It seems to have come in with the Moors in the Low Middle Ages. It is still a common recipe in Middle East cooking. Nostradamus included three recipes por quince paste in a rare book written in 1552, and declared that the sweet was "adequate to give to a King, for its beauty, its bounty, its taste and excellency".

Quince was very common during colonial times. Many sweets were made with it in the former capital, Cartago. It was a constant ingredient in many recipes made in the kitchens of convents and monasteries.

When cooked with sugar it turns red, almost scarlet, and is very good in preserves, jams and jellies. It is also added as a flavouring to apples and pears.

Moras, frambuesas, zarzamoras

Español: Mora, zarzamora, frambuesa
Inglés: Raspberry
Francés: Mûre, framboise
Nombre científico: *Rubus* spp.
Familia botánica: Rosaceae

En Costa Rica hay diferentes variedades de moras, frambuesas y zarzamoras. Unas son grandes, otras pequeñas; algunas dulces, otras muy ácidas.

Este tipo de frutas se cultivaban ya en la antigua Grecia, donde eran muy apreciadas. En Costa Rica se comen usualmente como postre, con crema agria ("natilla") y azúcar. Una de las jaleas más populares de las que se venden en el país es la de mora. También se usan para refrescos, ya sea licuados en agua, o en leche.

Raspberries/Blackberries

English: Raspberries, blackberries
Spanish: Mora, zarzamora, frambuesa
French: Mûre, framboise
Scientific name: *Rubus* spp.
Botanic family: Rosaceae

There are many different berries in Costa Rica. Some are large, other very small; some sweet, other rather acid.

These fruits were already cultivated and held in great esteem in Ancient Greece. In Costa Rica they are usually eaten for dessert, with sour cream and sugar. One of the favorite jellies sold in the country is blackberry jelly. They are also made into different drinks, either mixed with water or with milk.

Nance

Español: Nance
Inglés: Nanzi
Francés: Noro, nansi
Nombre científico: *Byrsonima crassifolia* (Linnaeus) De Candolle
Familia botánica: Malpighiaceae

Si hablamos de aromas, el nance es un fuerte competidor. Esta pequeña y redonda fruta, que parece una cereza amarilla, es muy popular en Costa Rica desde la época pre-colombina. Ya se vendía en los mercados prehispánicos, y según Fernández de Oviedo, de todos los que comió los mejores venían de Nicoya, ahora parte de nuestra provincia de Guanacaste.

El nance se come fresco y se usa para conservas, vinos y jaleas. Los extranjeros usualmente encuentran su olor demasiado fuerte. A los conquistadores españoles su aroma les desagradaba especialmente, y se referían a la fruta en forma despectiva.

Los nances en guaro (conservados en licor de caña), son muy buenos. Se embotellan y se dejan fermentar por nueve meses. Toman un color ámbar y un agradable y diferente sabor. También se hace nieve de nance .

En Panamá elaboran chicha de nance, una bebida fermentada de gran aceptación.

Nanzi

English: Nanzi
Spanish: Nance
French: Noro, nansi
Scientific name: *Byrsonima crassifolia* (Linnaeus) De Candolle
Botanic family: Malpighiaceae

Speaking of aromas, the nanzi is a tough contender. This small round fruit, a sort of yellow cherry, is very popular among Costa Ricans since pre-Columbian times. It was already sold in pre-Hispanic markets, and according to Fernández de Oviedo, the best ones he ever ate came from Nicoya, now a part of our Guanacaste province.

Foreigners tend to find its smell too strong. The Spanish conquerors hated the aroma, and were very negative whenever they mentioned the fruit.

Nanzis are eaten fresh, and used for preserves, wines and jellies. "Nances en guaro" (nanzis in licquor) are very good. They are bottled in a strong licquor, and left to ferment for nine months. They take an amber-brown color, and a nice different taste. Nanzi sherbets are also very popular.

In Panama they make nanzi *chicha*, a fermented beverage people like very much.

Naranjilla

Español: Naranjilla
Inglés: Naranjila
Francés: Narangille
Nombre científico: Solanum quitoense Lamarck
Familia botánica: Solanaceae

Esta fruta tiene la forma y el color de una naranja pequeña. La cáscara es un poco áspera y arenosa, cubierta de unos pelitos espinosos de color café, y hay que frotarla con una esponja fuerte antes de usarla. Sus numerosas semillas no son comestibles.

Las naranjillas son muy jugosas, y algunos sienten que su perfume les recuerda el de las fresas y las piñas. A los colombianos, que les dicen "lulos", les encanta esta fruta, y a su jugo le dicen "bebida real". Es ideal para bebidas, jaleas y postres.

Naranjila

English: Naranjila
Spanish: Naranjilla
French: Narangille
Scientific name: *Solanum quitoense* Lamarck
Botanic Family: Solanaceae

This fruit has the form and color of a small orange. The outer part of the skin is a bit rough and sandy, covered with stellate brown hairs, and has to be wiped with a strong sponge before using it. Its numerous seeds are not edible.

Naranjilas are very juicy, and some say their perfume brings memories of strawberries and pineapples. Colombians, who call them *lulos*, love this fruit, and call their juice royal beverage (*Bebida real*).

It is ideal for drinks, jams and desserts.

Naranjilla
Foto: Gloriana Espinosa Wilson

Níspero

Español: Níspero
Inglés: Loquat, Japanese medlar, Japan plum
Francés: néfle du Japon, bibace
Nombre científico: *Eriobotrya japonica* Lindley
Familia botánica: Rosaceae

No olvidemos al níspero, originario de China y Japón, pariente de la manzana y de la pera. Es una pequeña fruta ovoide, que llega a alcanzar hasta ocho centímetros (3") aproximadamente de largo, cuyo color va desde el amarillo pálido hasta el anaranjado. La carne es firme y abundante en algunas variedades, suave hasta deshacerse en otras, a veces dulce y a veces un poco ácida.

Su nombre en inglés, *japanese medlar*, se debe a su aparente similitud con la especie *Mespilus germanica*. Aunque usualmente se come cruda, tiene también usos culinarios. Exóticas salsas pueden prepararse con esta fruta. En Bermudas se le usa para hacer cierto tipo de licor. Algunos piensan que su sabor se parece al de la cereza, pero como con toda comparación, esto depende del cristal cultural con que se mire.

Loquat

English: Loquat, Japanese medlar, Japan plum
Spanish: Níspero
French: Néflier du Japon, bibace, nispero
Scientific name: *Eriobotrya japonica* Lindley
Botanic family: Rosaceae

Let's not forget the loquat, native to China and Japan, and a relative of the real apple and of the pear, an oval shaped small fruit, up to eight centimeters (3") long, pale-yellow to orange in color. The flesh is firm and meaty in some varieties, melting in others, juicy, and perhaps of a sprightly acid flavor, or indeed very sweet in other types.

It is also known as Japanese medlar, for its similarity with the medlar (*Mespilus germanica*). Although commonly eaten fresh, it can also be used for culinary purposes. Very exotic sauces can be made from this fruit. In Bermuda, they are used in making a local licquor. Some believe its flavour resembles that of the cherry, but it finally depends on the cultural lens thorough which you see it.

Papaturro

Español: Papaturro
Inglés: Wild grape
Francés: Raisin sauvage
Nombre científico: *Coccoloba uvífera* (Linnaeus) Jacquin
Familia botánica: Polygonaccae

Este pequeño árbol crece cerca de las playas de ambas costas. Las frutas tienen el tamaño de una uva común, y su color es morado oscuro; tienen una sola semilla. Los españoles las vieron por primera vez en las Antillas, y las usaron para hacer un licor que sustituyera su añorado vino de mesa. Se les llama también uvas de playa.

Son muy sabrosas y decorativas. Se comen frescas, y en ensaladas de frutas.

Wild grape

English: Wild grape
Spanish: Papaturro
French: Raisin sauvage
Scientific name: *Coccoloba uvifera* (Linnaeus) Jacquin
Botanic family: Polygonaceae

This small tree grows near the beaches of both coasts. The fruits are the size of common grapes, and their color is dark purple. They have a single seed. They are also called beach grapes. The Spaniards first saw them in the West Indies, and used them to make a licquor that substituted their longed for table wine.

They are very tasty and decorative. They are eaten raw, and in mixed fruit salads.

Papaya

Español: Papaya
Cuba: Fruta bomba
Puerto Rico y República Dominicana: Lechosa
Inglés: Papaya, paw-paw,tree-melon
Francés: Papaye
Nombre científico: *Carica papaya* Linnaeus
Familia botánica: Caricaceae

Los costarricenses a menudo compran tajadas de papaya a los vendedores callejeros. Oriunda de Centroamérica, esta fruta tropical crece casi en todo el país, aunque hay muchas variedades. Usualmente es ovalada, y el tamaño varía enormemente, llegando algunas a pesar varios kilos.

La variedad conocida como *papaya hawaiana*, de reciente introducción en el país, es pequeña, muy decorativa y sabrosa para postres. Su sabor es muy diferente al de la papaya criolla.

Cuando uno se encuentra *frutas de temporada* en un menú, puede casi estar seguro de que hay papaya. Algunos la prefieren cuando su sabor se resalta con unas gotas de limón.

La planta de papaya produce también una enzima, llamada papaína, que desintegra la proteína. Se utiliza industrialmente en las cervecerías, en la producción de carne enlatada y en farmacia.

La fruta fresca y madura, usualmente se come en el desayuno. Cuando está verde, se usa como legumbre, y se prepara con ella un tipo de guiso (*picadillo*) con carne. También se hace cristalizada, y se envasa en sirope. Con esta versátil fruta se preparan, asimismo, encurtidos, conservas, pasteles y helados. Por si fuera poco, la papaya es muy buena para suavizar carnes. A los turistas europeos les encanta una bebida llamada *papaya en leche*, una especie de batido de papaya realmente exquisito.

Se cree que el nombre papaya viene del término caribe *ababai*.

Papaya/Paw-paw

English: Pawpaw, papaya, tree melon
Spanish: Papaya
Cuba: Fruta bomba
Puerto Rico y República Dominicana: Lechosa
French: Papaye
Scientific name: Carica papaya Linnaeus
Botanic family: Caricaceae

Costa Ricans often buy papaya slices from sidewalk vendors. Native to Central America, this very tropical fruit grows almost everywhere in the country, but there are different varieties. It is usually oval, and the size varies greatly, some of them weighing several kilos.

The variety known as *Hawaian papaya*, only recently grown in the country, is small, very decorative, and good for desserts. Its taste, though is very different from the native papaya's.

The skin is thin, smooth, and green, and turns yellowish orange when ripe. The succulent flesh is yellow to pinkish orange, of the consistency of butter with a mild taste, the seeds being enclosed in the central cavity of the fruit.

When you find *season's fruits* in a menu, you may be almost sure about papaya being one of them. Some like it better when its flavour is enhanced by some lime drops.

The papaya plant also produces an enzyme, called papain, which breaks down protein. It is industrially used in brewing, in the preparation of canned meat, and for pharmaceuticals.

Ripe fresh papayas are particularly valued as breakfast fruit. When green, papaya is used as a vegetable, made into a sort of stew, with meat, and it is also cristallized and canned in syrup. Pickles, preserves, pies and sherbets are also made from this versatile fruit. Papaya is also excellent as a meat tenderizer. European tourists go crazy about a drink called *papaya en leche*, a sort of papaya milk shake that is very good.

The word *papaya* is held to be a corruption of the Carib *ababai.*

Pejibaye

Español: Pejibaye, chontaduro
Inglés: Pejibay
Francés: Pejibai, káimbii
Nombre científico: *Bactris gasipaes* Kunth
Familia botánica: Aracaceae

El pejibaye, fruta casi cónica, de unos cuatro a ocho centímetros (1 1/2" a 3") de largo, sobresale en los sacos de los vendedores, con su brillante cáscara anaranjada con rayas negras. Antes de comerlo, asegúrese que esté cocinado y pelado. No se puede comer crudo. Su pulpa amarilla-naranja sabe muy bien cuando se le agrega un poquito de mayonesa, para suavizar su textura más bien seca.

Una de las causas inmediatas de enojo de los aborígenes de este territorio contra los conquistadores españoles, fue la tala indiscriminada de plantas de pejibaye. Se calcula que solo los hombres de Rodrigo de Contreras talaron entre 30 y 50 mil pies de pejibaye en la región sur del país. Sus criados chichimecas los cortaban para comerse los palmitos, pero también se usaban en construcción. La planta era tan importante para los indígenas de la zona, que se dice que la amaban tanto como a su mujer y a sus hijos, y el enojo por su destrucción los llevaba a la guerra.

Los aborígenes ponían los pejibayes cocinados en redes que colocaban cerca del humo, para que se secaran lentamente. El humo les daba un brillo y color muy atractivos, y los conservaba por varios días, mejorando su sabor.

El pejibaye tradicionalmente se come cocido, partido a la mitad (después de extraerle la dura semillita negra que tiene en el centro), con un poquito de sal y mayonesa. El pan de pejibaye se prepara desde la época precolombina, y en la actualidad se hacen queques y galletas de la fruta, la cual es muy alta en vitamina A. La sopa de pejibaye es uno de los mejores platillos de la llamada *nueva cocina costarricense*; una verdadera delicia exótica.

La planta se cultiva también por su exquisito palmito, que es un elemento muy importante de la cocina tradicional costarricense.

El nombre indígena para esta fruta era *pixbay*.

Pejibay

English: Pejibay
Spanish: Pejibaye, chontaduro
French: Pejibai, káimbii
Scientific name: *Bactris gasipaes* Kunth
Botanic family: Aracaceae

The pejibay is an almost conic fruit, two to three inches in length, that catches your eye on the fruit stands, with its glossy orange skin with black stripes. Before eating it, make sure it is cooked and peeled! It cannot be eaten fresh. Its orange-yellow pulp tastes very good when a little mayonnaise is added to it to soften its rather dry texture.

The aboriginals of this land soon resented the indiscriminate cut of pejibay plants by the Spaniards. Conqueror Rodrigo de Contreras is guilty of cutting an estimated 30 to 50 thousand feet of the plant. His Chichimeca servants cut them to eat the hearts of palm, and they also used them for building fortresses. The plant was so dear to the aboriginals, that they are said to have loved it as much as they did their wives and children, and their anger at its destruction soon drove them to war.

The indians cooked and slowly smoked the fruit, which kept it fresh longer and gave it a nice lustre and better flavour.

Pejibay is traditionally eaten boiled, cut in halves (after discarding its hard round black seed), with a pinch of salt and mayonnaise. Pejibay bread has been baked since pre-Columbian days, and today cookies and cakes add to the list of recipes made with this fruit, very high in Vitamin A..

Pejibay soup is one of the best dishes of Costa Rican nouveau cuisine; a real exotic delicacy.

The plant is also widely cultivated for its delicious palm heart, that is a very significant element in Costa Rican cooking.

The Indian word for the fruit was Pixbay.

Piña

Español: Piña
Inglés: Pineapple
Francés: Ananas
Nombre científico: *Ananas comosus* (Linnaeus) Merrill
Familia botánica: Bromeliaceae

Cuando llegaron los españoles, ya la piña se cultivaba ampliamente en este continente. Cristóbal Colón la vio por primera vez en la Isla de Guadalupe en 1493, y la llevó a España en su segundo viaje.

Fernández de Oviedo, el cronista español que vino a esta región en el siglo dieciséis, de inmediato se enamoró de la sorprendente variedad de frutas que veía por primera vez. Con cada nuevo descubrimiento se entusiasmaba y se llenaba de admiración. Pero la fruta que verdaderamente lo cautivó fue la piña, a la que coronó como la más bella y sabrosa del mundo vegetal.

Martín Fernández de Enciso, el español que escribió el primer libro publicado en lengua española sobre América, en 1519, también se prendó de la piña, "que estando en una sala, huele toda la casa". Otro escritor español, Pedro Mártir de Anglería, también alabó esta fruta, "que hasta el Rey Fernando encontró excelente"; pero el pobre don Pedro Mártir no alcanzó a probarla, porque de todo el cargamento enviado a España solo una llegó en buenas condiciones. Pronto se sembrarían piñas en diversos países del Viejo Continente, y prendados los europeos de su extraña belleza, copiaron la fruta en cornisas, muebles y vajillas. Un ejemplo de la belleza y complejidad de esos objetos son las exquisitas fuentes de porcelana con pedestal de piñas que se exhiben en el Castillo de Windsor en Gran Bretaña.

Desde entonces, la piña ha sido considerada una de las más perfumadas de las frutas tropicales. Su carne, cuyo color va desde el blanco hasta el amarillo, es ahora ingrediente de variadas recetas. Se puede comer cruda, usarla como adorno en dulces y postres, o como acompañamiento de carnes asadas. Su presencia es casi obligada cuando se prepara un apetitoso jamón, o un cerdito asado.

También se preparan con ella varias bebidas, en agua o en leche. También la piña colada (mezcla de jugo de piña, leche de coco y ron) que con tan buen tino inventaron los puertorriqueños, es en Costa Rica tan popular como en otros países latinoamericanos.

Las cáscaras de la piña se han usado asimismo en la cocina criolla para hacer chicha y atoles.

Tradicionalmente se consideró a las piñas producidas en El Cacao de Alajuela las mejores del país, pero ahora se siembran en varias partes del territorio. Los compradores costarricenses le dan un golpe a la fruta con el dedo, y escuchan el sonido que se produce para ver el grado de madurez. Es preferible comprarlas cuando están todavía un poquito verdes, porque cuando maduran completamente, el sabor cambia muy rápido.

Pineapple

English: Pineapple
Spanish: Piña
French: Ananas
Scientific name: *Ananas comosus* (Linnaeus) Merrill
Botanic family: Bromeliaceae

The pineapple was already widely cultivated in this continent when the Spaniards arrived, and Colombus saw it for the first time at the Island of Guadaloupe in 1493. He took it back to Spain on his second voyage.

Fernández de Oviedo, the Spanish chronicler who came to this region in the Sixteenth Century, immediatly fell in love with the surprising variety of fruits that he saw for the first time. Enthusiastic and lost in admiration he was of almost every new discovery. But the fruit that really caught his eye was the pineapple, which he crowned the "better looking and tasting gal of the vegetable world",

Martin Fernandez de Enciso, another Spaniard who wrote the first published book on America in the Spanish language, in 1519, also fell for the pineapple, "whose presence in a room perfumed the whole house". Pedro Martir de Angleria, also praised the fruit, "that even His Majesty, King Fernando, had found excellent"; but poor Don Pedro Martir could not have a taste of it, because only one of the many pineapples that had been sent to Spain had completed the journey in good condition. Pineapples were soon grown in the Old World, and the Europeans, captured by their strange beauty, copied the fruit in ceilings, furniture and tableware. The beauty and complexity of the objects decorated with pineapples is extraordinary, an example of this been the exquisite porcelain serving plates that can be admired in Windsor Castle in Great Britain.

From those early times, the pineapple has been considered one of the most aromatic of tropical fruits. Its white- yellowish flesh, either fresh or canned, has become a common ingredient in many recipes. It can be eaten out of hand, used as decoration for sweets and desserts, or as delicate garnishing for meat roasts. It is a most when there is a succulent baked ham or a roasted pig for dinner.

Many beverages are made with the fruit, mixed in water or milk. The *Piña colada* cocktail (a mixture of pineapple juice, coconut milk and rum) that Portoricans so wisely invented, is as popular in Costa Rica as in other Latin American countries.

Pineapple skin also has been used in Costa Rican cooking, for fermented beverages and *atoles*.

It was a tradition that pineapples grown in the town of El Cacao, in Alajuela, were the best, but the fruit is now successfully grown in many other places.

Costa Rican buyers thump the fruit, and listen to the sound, to detect ripeness. It is better to buy them a little on the green side, because when fully ripe the taste changes very fast.

Pitahaya

Español: Pitahaya
Inglés: Pitaya
Francés: Pitaya
Nombre científico: *Hylocereus costaricensis* (Weber) Britton & Rose
Familia botánica: Cactaceae

En la América tropical, se les llama pitahayas a las frutas de varios cactos. Estas frutas son comúnmente más grandes (alcanzan hasta unos diez centímetros, 3", de largo), y algunos piensan que de mejor sabor, que la tuna.

La variedad costarricense es particularmente delicada. La fruta del cactus (Cereus) que florece de noche, es ovalada, y su color va desde el rosado brillante hasta el rojo, con grandes hojas escamosas en la superficie. La carne, blanca y jugosa, está llena de minúsculas semillas comestibles. Estas semillitas fueron usadas por los españoles del siglo dieciséis para hacer tinta de buena calidad.

Este cacto crece principalmente en piedras y rocas de las cálidas tierras de la costa pacífica. También se le ve en los viejos techos de teja de la Meseta Central y de Guanacaste. El nombre pareciera ser de origen caribe.

La fruta se come fresca, y también en bebidas, helados y conservas. El refresco de pitahaya tiene un color escarlata extraordinario, lo que lo hace una fiesta para la vista cuando se sirve en un recipiente de cristal. Las tajadas de pitahaya se parecen en algo a una tajada de kiwi (*Actinidia sinensis*) pero no verdes, sino escarlata.

Pitaya

English: Pitaya
Spanish: Pitahaya
French: Pitaya
Scientific name: *Hylocereus costaricensis* (Weber) Britton & Rose
Botanic family: Cactaceae

In Tropical America, the fruits of many cacti are called pitaya. This fruits are usually larger (up to ten centimeters, 3", in length), and some believe better tasting, than tunas.

The Costa Rican varieties are particularly delicate. The fruit of the night-blooming Cereus (cacti) is oval, bright pink to red in color, with large, leaf-like scales on the surface. The flesh, white and juicy, is filled with tiny edible black seeds. This seeds were used by the Spaniards in the Sixteenth Century to make good quality ink.

Another variety of the fruit has a bright purple flesh. They may be eaten out of hand, or used for beverages, sherbets, and preserves. Put pitaya, ice cubes, water and sugar in the mixer, and you will get an extraordinary looking scarlet drink, very beautiful when served in a glass container.

The sliced fruit may slightly resemble a white or purple kiwi (Actinidia sinensis).

This cactus grows mainly in rocks and stones of the hot lowlands of the Pacific Coast. You can also see them on top of the old tiled roofs of the Meseta Central and Guanacaste. The name seems to be of Carib origin.

Pitanga

Español: Pitanga y cereza de Cayena
Inglés: Pitanga y Surinam-cherry
Francés: Cerise de Cayenne y cerise carrée
Nombre científico: *Eugenia uniflora* Linnaeus
Familia botánica: Myrtaceae

Algunos consideran a ésta una de las mejores frutas de la familia de las mirtáceas, lo que es un gran honor, si consideramos que también pertenecen a ella la manzana rosa, el cas dulce y la guayaba.

La pitanga es nativa del Brasil, en donde la gente la adora. Esto se refleja en las palabras de un sacerdote brasileño, el Padre Tavares, quien escribió una vez: "Claro que Brasil no necesita envidiarle a Europa sus cerezos, que se doblan en mayo por el peso de sus frutas color de rubí. Nuestras pitangas las aventajan, tanto en belleza como en sabor". El nombre *pitanga* se lo dieron a la fruta los indios tupi del Brasil.

La fruta tiene ocho secciones, a manera de gajos. Llega a tener hasta unos tres centímetros (1") de diámetro, y su color es rojo escarlata cuando está madura. La pulpa es suave, jugosa, y un poco ácida.

La pitanga tiene varios usos. Es deliciosa como fruta fresca, cuando está bien madura, y tiene un aroma fuerte y agradable. La jalea de pitanga es muy buena, lo mismo que los helados, de un color rosado salmón y un sabor delicioso. También se preparan con ella licores, siropes y vinos.

Pitanga

English: Pitanga or Surinam-cherry
Spanish: Pitanga or cereza de Cayena
French: Cerisse de cayenne and cerise carrée
Scientific name: *Eugenia uniflora* Linnaeus
Scientific family: Myrtaceae

Some consider this fruit one of the best of its family, a real honor taking into account that the strawberry guava, the guava. and the rose apple also belong to it. The pitanga is a native of Brazil, where people adore it. Father Tavares, a Brazilian priest, once wrote: "Evidently Brazil dos not need to envy Europe her cherry trees, bending in May under the weight of their ruby fruits. Our pitangas surpass them both in beauty and taste". The name "pitanga" was given to the fruit by Brazilian Tupi Indians.

The fruit is eight-ribbed, up to three centimeters (1") in diameter, and deep crimson in color when fully ripe. The flesh is soft, juicy, and slightly acid.

The pitanga has varied uses. It is delicious as a fresh fruit, when fully ripe, and has a strong yet pleasant aroma. Jelly made from the pitanga is very good, as is pitanga sherbet, salmon-pink in color and delicious in taste. Licquors, sirups and wines are also prepared from the fruit.

Pitanga
Foto: Alexander Carazo

Plátano

Español: Plátano
Inglés: Plantain
Francés: Plantain, Banane á cuire
Nombre científico: *Musa paradisiaca* Linnaeus
Familia botánica: Musaceae

Los plátanos son el pariente grande del banano, con cáscara dura. No se comen crudos, sino que hay que hervirlos, freírlos o asarlos. El plátano verde se fríe en rodajas para hacer el popular platillo llamado “patacones”, excelente acompañamiento para el ceviche de pescado. También es un ingrediente importante de la “olla de carne” (sopa de carne y vegetales), quizás el platillo costarricense que mejor resume el mestizaje culinario entre lo español, lo indígena, y el aporte africano. En Nicaragua se le llama “bastimento”, y sustituye al pan de trigo y hasta a la tortilla. En Ecuador, en la región de Manabí, el plátano verde se asa en las brasas y se sirve con la “salprieta”, que se prepara con maíz molido y maní, y que en la Sierra se asegura que es afrodisíaca.

Los dulces plátanos maduros, de color amarillo-negruzco, son parte esencial de la dieta del costarricense, y se usan en una amplia variedad de recetas. Se preparan al horno, en tortas, en puré, en pasteles rellenos de carne, o bien simplemente fritos y coronados con natilla fresca. Algunos indígenas costarricenses los secan al humo, los muelen, y usan la harina para elaborar una especie de chicha. Por siglos también se les ha secado al sol para comerlos como postre; así, se les llama “pasados”.

Esta fruta ha llegado a ser muy importante en la dieta de muchos países latinoamericanos. Tanto, que de ella dijo el patriota centroamericano José Cecilio del Valle (1780-1834), que por la belleza de su forma y por sus variados usos, tanto verde como madura, el plátano ha sido gloria de América.

En Costa Rica se come plátanos en cualquiera de las tres comidas principales.

Platain

English: Plantain
Spanish: Plátano
French: Plantain, Banane á cuire
Scientific name: *Musa paradisiaca* Linnaeus
Botanic family: Musaceae

Plantains (cooking bananas) are long coarse-skinned bananas. They are not eaten raw. You have to boil them, fry them or bake them. The green plantain is fried in slices to make the popular "patacones", fried plantain chips. It is also an important ingredient of the "olla de carne" (beef and vegetables soup), the recipe that best summarizes the fussion of Spanish, aboriginal and African elements in Costa Rican cooking. It is called "bastimento" in Nicaragua, and is eaten instead of bread or *tortillas*. In Manabí, a region in Ecuador, green plantains are cooked on hot charcoals and served with "salprieta", a mixture of ground corn and peanuts, that they believe to be an aphrodisiac.

Ripe, sweet, yellow-black ones are an important staple of Costa Rican diet, and are used in a wide variety of recipes. They are baked, pureed, made into pies filled with meat, in turnovers, or simply fried topped with sour cream. Costa Rican Indians smoke-dry them, grind them, and use the flour to prepare an alcoholic drink. For centuries, they have also been sun-dried and eaten as dessert. These are called *pasados*.

This fruit is so important in the diet of some Latin American countries, that the Central American patriot José Cecilio del Valle (1780-1834), wrote that for its beauty, and for its varied uses when green or ripe, the plantain has been an American glory.

Plantains are eaten in Costa Rica in any of the three main meals.

Sandía

Español: Sandía
Inglés: Watermelon
Francés: Pastèque
Nombre científico: *Citrullus lanatus* (Thunberg) Matsumura & Nakai
Familia botánica: Cucurbitaceae

Para los que se dejan llevar por los colores, la sandía es una inmediata tentación. El contraste de su cáscara verde brillante, y su carne rosada colmada de semillas de color negro azabache (no comestibles), es un verdadero espectáculo en cualquier mesa.

Esta fruta, oriunda del Africa y cuyo uso en el antiguo Egipto ha sido seriamente establecido por los historiadores, fue traída a América en los primeros viajes de las naves españolas y se cultiva desde entonces en las zonas bajas del país, llegando a alcanzar gran tamaño. Aunque la sandía se encuentra actualmente en los más diversos lugares del globo, se ha incluido aquí por la dulzura especial de la que crece en estas tierras tropicales. Su sabor es muy diferente, por ejemplo, de la que se produce en Rusia, y que llaman *arbuz*, e incluso es más dulce que las sandías que se consiguen en el Mediterráneo.

La sandía se come cruda, bien fría o a temperatura ambiente, y es favorita para llevarla a la playa. A muchos les gusta un coctel preparado con jugo de sandía, vodka, hielo, y una pizca de azúcar, pero sus usos van más allá, tanto en postres como en conservas. Su cáscara se prepara confitada, y tiene mucho sabor.

Watermelon

English: Watermelon
Spanish: Sandía
French: Pasteque
Scientific name: *Citrullus lanatus* (Thunberg) Matsumura & Nakai
Botanic family: Cucurbitaceae

If you are one to go for color, watermelon is your choice. Bright green skin, and bright pink flesh, with numerous unedible black seeds, it is a real sight at any table.

This fruit, native to Africa, and already held in high esteem in Ancient Egipt, was brought to America by the Spaniards in their first voyages, and has been grown since in this country's lowlands, attaining very large sizes. Though watermelons can now be found almost everywhere, they have been included in this book for the special sweetness of tropical Costa Rican varieties. Their taste is very different, for instance, from the Russian variety, *arbuz*, and they are even sweeter than those grown in Mediterranean countries.

The watermelon is eaten raw, either chilled or at room temperature, and is a favorite at the beach. A very tasty cocktail is prepared mixing watermelon juice, vodka, crushed ice and a pinch of sugar. But its uses go far beyond: it is good for desserts and preserves, and its core makes a good candied fruit.

Tomate de palo

Español: Tomate de palo o tomate cimarrón
Inglés: Tree tomato
Francés: Tamarillo
Nombre científico: *Cyphomandra crassicaulis* (Ortega) Kuntze
Familia botánica: Solanaceae

Esta planta es parte de la herencia que los aborígenes precolombinos dieron al mundo. Se cultivaba en los jardines en las altas montañas del Perú antiguo.

Sus frutos ovoides crecen en racimos de tres o más. Son del tamaño de un huevo grande. En color y apariencia, se parecen mucho a sus primos los tomates comunes. Su color varía de verde-moradusco, a rojo amarillento conforme maduran.

El tomate de palo era ya hace muchos años alimento de los antiguos habitantes de Costa Rica, y después de haber estado ausente del comercio diario por largo tiempo, se consigue de nuevo en las ferias del agricultor y en muchos supermercados. Actualmente se produce en la región de Los Santos.

Esta fruta es muy refrescante cuando se come cruda. También puede usarse para guisos, o hacer con ella jaleas y conservas. La jalea tiene un sabor parecido a la de albaricoque.

Tree tomato

English: Tree tomato
Spanish: Tomate de palo o tomate cimarrón
French: Tamarillo
Scientific name: *Cyphomandra crassicaulis* (Ortega) Kuntze
Botanic Family: Solanaceae

This plant is a part of the heritage that pre-Columbian Indians gave the world. It was planted in the gardens high upon the mountain sides of Ancient Peru.

Its oblong fruits grow in clusters of three or more. They are the size of a large egg; in color and appearance, they closely resemble their cousin the tomato. Their color goes from greenish purple, to reddish yellow on ripening.

This fruit was eaten by Costa Rican ancient inhabitants many years ago, and after a long absence from everyday commerce, it is again available in week-end markets (*ferias del agricultor*) and many supermarkets. Tree-tomatoes are now grown in the Los Angeles region.

The fruit is very refreshing when eaten raw. It can also be used for stewing, or made into jam or preserves. The jams tastes like apricot.

Tomate de palo
Foto: Alexander Carazo

Tuna

Español: Tuna
English: Prickly pear
Francés: Figue de Barbarie
Nombre científico: *Opuntia Ficus-indica* Linnaeus
Familia botánica: Cactaceae

Esta jugosa fruta, de la familia de los cactos, se tiene que tratar con mucho cuidado para evitar espinarse.

La tuna ha sido muy popular en esta parte del mundo desde la época pre colombina. Su nombre científico la describe como *higo de la América indígena*, ya que los europeos se pasaban comparando la flora y fauna del Nuevo Mundo con la que conocían en sus propios países. La verdad es que no tiene mucho en común con el higo, excepto quizás la apariencia de sus abundantes semillas.

Su color varía desde el verde-amarillo hasta el rojo fuerte. Se deben quitar las espinas o usar guantes cuando se le está preparando. Se quita una tajada de uno de los lados, y se corta la cáscara a lo largo. Se despega entonces la cáscara, y se saca la pulpa rosada.

Por siglos, la tuna se ha comido cruda, cocida, o hecha puré. Si se cocina, se le deben quitar las semillas. Es muy buena para darle sabor a helados y espumas.

En la actualidad, es difícil encontrarla a la venta en las ciudades grandes, excepto, algunas veces, en los supermercados más exclusivos.

Pricky pear

English: Prickly pear
Spanish: Tuna
French: Figues de Barbarie
Scientific name: *Opuntia Ficus-indica* Linnaeus
Botanic family: Cactaceae

This juicy fruit, from the cactus family, has to be handled with care to avoid injury from the spines.

It has been very appreciated in this side of the world since pre-Hispanic times. Its scientific name describes it as an American Indian fig, since Europeans kept comparing the New World's flora and fauna to what they knew back home. It really has nothing in common with a fig, except, maybe, the appearance of its tiny seeds.

Its color goes from yellow to deep red. You must remove the spines or use gloves when preparing it. Cut a slice from either end and slice lengthwise through the skin. Peel back the skin and remove the pink colored flesh.

For centuries, it has been eaten raw, or else stewed and puréed. Remove the seeds if you cook it. It is good to flavour ice creams or mousses.

It is difficult to find it commercially nowadays in the larger cities, except, perhaps, in some posh supermarkets.

Yuplón

Español: Yuplón
Inglés: Ambarella,vi apple, great hog plum, kedondong
Francés: Pomme Cythère
Nombre científico: *Spondias dulcis* Parkinson
Familia botánica: Anacardiaceae

Miembro de la familia de los jocotes, el yuplón fue llevado a Jamaica, junto con el árbol de fruta de pan, por el Capitán Bligh, célebre por el motín del Bounty. A Costa Rica llegó gracias a los inmigrantes jamaiquinos de habla inglesa cuyos descendientes forman la mayoría de la población del puerto de Limón.

La fruta es ovalada, de unos ocho centímetros (2 1/2") de largo, y de color verde-amarillento. Algunos encuentran su sabor agridulce similar al de la manzana. La semilla es también ovalada, con duras espinas o púas, a las que se adhiere la pulpa.

El nombre ambarella que se le da en inglés es de la lengua sinhalesa, y se usa en Ceilán, pero en las Antillas se le llama otaheite-apple. En Jamaica se le dice "jew-plum" (ciruela judía), y esa es la raíz del término yuplón con que la conocemos en Costa Rica, y que nos trajeron los inmigrantes antillanos.

Esta fruta se da en largos racimos, que tienen de dos a diez frutas. Se come cruda, con sal, o se hace en jugo para preparar jalea o mermelada. También es buena en salsas o ceviches, o como ingrediente de ensaladas de frutas. El puré de yuplón combina muy bien con la carne de puerco. Si se come la fruta cruda, entre más madura mejor sabor.

Ambarella

English: Ambarella, vi apple, great hog plum, kedondong
Spanish: Yuplón
French: Pomme Cythère
Scientific name: *Spondias dulcis* Parkinson
Botanic family: Anacardiaceae

The ambarella, a member of the mombin family, as the breadfruit, was brought to Jamaica by Captain Bligh. It came to Costa Rica in the hands of English speaking Jaimaican immigrants, whose descendants form the majority of the population in the Port of Limon.

The fruit is oval, up to eight centimeters (2 1/2") long, and green-yellow in color. Some find its sweet acid flavour similar to that of the apple. The seed is also oval, and covered with stiff spines or bristles, to which the crisp white flesh adheres.

It grows in long pendent clusters of two to ten fruits. It is eaten raw, with salt, or its juice is made into jelly or jam. It can also be made into raw chutneys or *ceviche*, or added to fruit salads. The purée made of it goes nicely with pork. If you eat it raw, the riper the better.

The name ambarella is the Sinhalese name used in Ceylon, but it is called Otaheite-apple in some of the West Indies. It is also called Jew-plum in Jamaica, and that is the root of the term *yuplón* used in Costa Rica, a *Spanglish* word brought in by West Indian immigrants.

Zapote

Español: Zapote
Inglés: Mamee-sapota, marmalade plum, marmalade fruit
Francés: Sapote, grosse sapote, mammée, abricot de Saint-Domingue
Cuba: Mamey colorado
Nombre científico: *Pouteria sapota* (Jacquin) H.E. Moorer & Stearn
Familia botánica: Sapotaceae

Se dice que fue el zapote el que mantuvo vivos a Hernán Cortés y a su ejército en su famosa marcha desde la ciudad de México hasta Honduras.

Los vendedores callejeros saben que el color de su pulpa es muy atractivo, y no así el color cafesusco de su rugosa cáscara. Por eso lo exhiben partido a la mitad, sobre bateas de madera. El brillante color salmón capta la mirada del nacional y el extranjero en cuanto la ven. La fruta, ovoide, puede tener desde ocho hasta veinte centímetros (de 3" a 8") de largo.

Al que no está acostumbrado a la dulzura de las frutas tropicales, el sabor del zapote le puede parecer de primera entrada un poco empalagoso.

Oviedo nos dice que con la semilla, seca y molida, se hace un excelente aceite para cocinar. Este mismo aceite se usa en tratamientos caseros para el cabello. Las mujeres usaban las semillas, perfectamente lisas, para ayudarse en el proceso de zurcido de los calcetines.

Cuando están bien maduros, los zapotes son muy buenos para helados y nieves, que a todos gustan desde el primer momento. Mermeladas y postres de zapote son también extraordinarios. Sin embargo, los costarricenses prefieren comer esta fruta fresca.

Mammee zapota

English: Mammee sapota, marmalade plum, marmalade fruit
Spanish: Zapote
French: Sapote, grosse sapote, mammée, abricot de Saint-Domingue
Cuba: Mamey colorado
Scientific name: *Pouteria sapota* (Jacquin) H.E. Moorer & Stearn
Botanic family: Sapotaceae

It was the mammee sapota or marmalade plum that kept Cortés and his army alive on their famous march from Mexico City to Honduras.

Their bright salmon-red color catches the eyes of tourists walking the Avenida Central. Street vendors know the color of their pulp to be very atractive, and cut some of them in halves because the russet-brown color of their skins, thick and woody, is not so appealing. They display the opened fruits on rustic wooden trays. This ovoidal fruit may measure from eight to twenty centimeters (3" to 8") in length.

To one who is not used to the very sweet fruits of the Tropics, the flavour of the mammee-sapota may at first be somewhat cloying, because of its lack of acidity.

Oviedo tells us that with the dry ground seed you can make cooking oil. This oil is also used for home hair repair treatments. Women used the perfectly smooth seeds as an aid when mending socks.

Very ripe fruits are good for ice creams and sherbets, and they are sure to be relished at first trial. Marmalades and desserts are also outstanding. Costa Ricans usually eat the zapote out of hand, though.

Zapote
Foto: Rodrigo Castro Jirón

RECETAS

Recipes

Aguacate picante

(2 porciones)

1 1/2 cucharadas de cebolla picadita
1/4 taza de tomate sin semillas y bien picado
3 cucharadas de pepino pelado, sin semillas y picadito
3 cucharadas de chile dulce rojo bien picadito
1/2 cucharadita de chile jalapeño bien picadito
3 cucharadas de jugo de limón
1 aguacate mediano maduro
1 cucharadita de aceitunas picadas
sal al gusto
tortillas fritas

En un tazoncito, mezcle la cebolla, el tomate, el pepino, el chile dulce, el chile picante, las aceitunas, dos cucharaditas de jugo de limón, y sal al gusto. Rocíe la fruta con el jugo de limón que quedó, y divida el relleno entre las dos mitades.

Acompañe con las tortillitas fritas.

Hot Avocado

(Serves 2)

1 1/2 tablespoons finely chopped onion
1/4 cup seeded and finely chopped tomato
3 tablespoons peeled, seeded and finely chopped cucumber
3 tablespoons finely chopped red bell pepper
1/2 teaspoon minced jalapeño pepper (or to taste)
3 teaspoons fresh lemon juice
1 medium ripe avocado
1 teaspoon chopped olives
salt to taste
corn tortilla chips

In a small bowl, combine the onion, the tomato, the cucumber, the bell pepper, the jalapeño pepper, the olives, two teaspoons lemon juice, and salt to taste. Half and pit the avocado. Brush the fruit with the remaining lemon juice. Divide the filling between them, and accompany with the tortilla chips.

Budín de naranjilla y camote

(Da 4 a 6 porciones)

1/2 kilo de camotes
1/2 kilo de queso fresco rallado
1 taza de jugo de naranjillas
1/2 taza de harina
1 taza de azúcar
2 huevos batidos
2 cucharadas de mantequilla derretida

Lave y cocine los camotes hasta que estén suaves. Pélelos y hágalos puré. Agregue los demás ingredientes y mezcle bien. Ponga la mezcla en un molde engrasado, y horné a 300ºC hasta que dore.

Sírvalo frío o caliente.

Naranjila and Sweet-Potato Pudding

(Serves 4-6)

1/2 kilo sweet-potatoes
1/2 kilo grated fresh cheese
1 cup naranjila juice
1/2 cup flour
1 cup sugar
2 beaten eggs
2 tablespoons melted butter

Wash, and cook the sweet-potatoes until tender. Peel and puree them. Add the remaining ingredients, and blend eavenly. Pour the mixture in a greased pan, and bake at 300ºC until golden.

Serve hot or cold.

Budín de plátano maduro

8 plátanos maduros medianos
1/2 taza de queso fresco rallado
1 taza de salsa blanca
4 yemas
1 cucharadita de azúcar
4 claras batidas a punto de nieve

Ponga a cocinar los plátanos, sin pelar, cortados en tres pedazos, hasta que suavicen. Pélelos y licue todos los ingredientes, excepto las claras. Agregue las claras, revolviendo con cuidado. Vacíe en un molde para budín, bien engrasado, y cocine en baño María por unos cuarenta y cinco minutos.

Sírvalo bien caliente, acompañado de tajadas de queso fresco o natilla.

Plantain Pudding

8 ripe medium plantains
1/2 cup fresh grated cheese
1 cup béchamel sauce
4 egg yolks
4 egg whites beaten until frothy
1 teaspoon sugar

Boil the plantains, unpeeled, cut in three pieces, until soft. Peel them and put them with the rest of the ingredients, except egg whites, in an electric mixer. Gently fold in the egg whites.

Pour into a greased casserole. Set casserole into a pan of hot water, and cook for aproximately forty five minutes.

Serve it hot, with slices of fresh cheese, or sour cream.

Cajeta de cohombro

1 cohombro mediano maduro
3 1/2 litros de leche
2 1/2 kilos de azúcar

Pele y quítele las semillas a la fruta. Córtela en cuatro partes. Póngala en una olla con aproximadamente una taza de agua, hasta que hierva. Cuando esté hirviendo, añada el azúcar y la leche. Mueva constantemente y baje el fuego. Antes de que llegue al punto de hebra, saque unos pedacitos para adorno. Cuando tenga el punto de hebra, retire del fuego y mueva constantemente hasta que corte. Viértalo en papel encerado, y decore con los trocitos de fruta.

Sikana Fudge

1 medium ripe sikana
3 1/2 liters milk
2 1/2 kilos sugar

Peel and seed the fruit. Cut it in four. Put it in a pan with aproximately 1 cup water until boiling. As soon as it boils, add sugar and milk. Stir constantly and lower heat. Before reaching thread point, take out some pieces of fruit to use later as garnish.

When thread point is reached, remove from heat and stir until it thickens. Pour on waxed paper and decorate with the fruit.

Camarones con papaya y jamón

(4 porciones)

1 papaya de 1/2 kilo
1/4 kilo de jamón cocido,en tiritas
3 cucharadas de cebollinos picados
1 cucharada de jugo de limón
4 cucharaditas de mostaza suave
1/3 taza de aceite de oliva
1/2 kilo de camarones, pelados y desvenados
sal y pimienta al gusto
cebollinos enteros para decorar

Pele la papaya, pártala a la mitad a lo largo, y quítele las semillas. Parta una de las mitades a lo ancho en tajaditas delgaditas. Divida las tajadas entre cuatro platos para ensalada. Colóquelas formando un círculo en el borde del plato. Corte la otra mitad a lo largo, y después pártala en trocitos. Mézclela cuidadosamente en un tazón con el jamón y los cebollinos picados.

En un tazón pequeño, bata con un tenedor el jugo de limón y la mostaza. Agregue sal y pimienta al gusto. En una sartén ponga a calentar el aceite en fuego bajo. Cuando esté bien caliente, agregue los camarones (la cola debe estar intacta), y condimente con sal y pimienta. Cocine los camarones, tapados, por unos dos o tres minutos, moviéndolos de vez en cuando. Cuando estén firmes al tacto, páselos al tazón del jamón. Deje que el aceite se enfríe un poquito, y agréguelo en chorrito a la mezcla del limón y la mostaza, batiendo vigorosamente. Derrame la salsa sobre la mezcla de jamón y camarones, revolviendo con cuidado. Si lo desea, agregue más sal y pimienta.

Divida la mezcla entre los cuatro platos de ensalada, y decore con los cebollinos enteros.

Shrimp with Papaya and Ham

(Serves 4)

one 1/2 kilo papaya
1/4 kilo cooked ham, in strips
3 tablespoons chopped chives
1 tablespoon lemon juice
4 teaspoons mild mustard
1/3 cup olive oil
1/2 kilo shrimp, shelled and deveined
salt and pepper to taste
whole chives for garnish

Peel, half lengthwise and seed the papaya. Cut one of the halves crosswise into thin slices. Divide the slices between four salad plates. Form a circle with them, following the edge of the plates. Cut the other half lengthwise, and then crosswise into thin pieces. Toss it gently in a bowl with the ham and chopped chives.

In a small bowl, whisk together the lemon juice, and the mustard. Add salt and pepper to taste. In a heavy skillet heat the oil over low heat. When very warm, add the shrimp (you should have left the tails intact), and season with salt and pepper. Cook the shrimp, covered, for two or three minutes, turning them ocassionally. Transfer them to the bowl with the ham mixture, when just firm to the touch. Let the oil cool a little, and add it to the lemon-mustard mixture, in a stream, whisking vigorously. Pour the sauce over the ham mixture, tossing it gently. If necessary, add more salt and pepper.

Divide the mixture among the four plates, and garnish them with the whole chives.

Coctel de tomate de palo

1 1/2 tazas de jugo de tomate de palo
1/2 taza de guaro
1 cucharada de azúcar
hielo picado

Mezcle bien los ingredientes, y sirva en vasos de coctel.

Tree Tomato Cocktail

1 1/2 cups tree tomato juice
1/2 cup cane licquor (*guaro*)
1 tablespoon sugar
crushed ice

Mix all well and serve in cocktail glasses.

Conserva de membrillo

(15 porciones)

6 membrillos grandes
1 kilo de azúcar
2 litros de agua

Lave la fruta, pélela, y pártala a la mitad. Quítele las semillas, y córtela en tajadas. Póngala a cocinar a fuego bajo, con el agua y el azúcar, hasta que tenga la consistencia de miel espesa. Retire del fuego, y guarde en envases de cristal. Sírvala como postre, o úsela como relleno de pastel.

Quince Preserve

(Serves 15)

6 large quinces
1 kilo sugar
2 liters water

Wash the fruit, peel it and halve it. Slice it and seed it. In a heavy pan, simmer the fruit slices with sugar and water, until it thickens. Remove from heat, and put in sterilized jars. It can be used for dessert or as pie filling.

Conserva de tomate de palo

(Receta de Olga Marta Mesén)

1 kilo de tomates de palo
azúcar, canela y vainilla al gusto

Pele las frutas, y póngalas a cocinar a fuego medio, en poca agua, con los otros ingredientes. Déjelo hervir unos diez minutos. El tiempo de cocción depende de si se quieren las frutas enteras, ni muy duras ni muy suaves, o deshechas. Sírvalas calientes, o a temperatura ambiente.

Tree Tomato Preserve

(Olga Marta Mesén's Recipe)

1 kilo tree-tomatoes
sugar, cinnamon and vanilla to taste

Peel the fruit, and cook it in a pan, at medium heat, with a little water and the rest of ingredients. Let it boil for about ten minutes. Cooking time depends on wether you want to keep the fruit whole, not very soft nor very hard, or in pieces. Serve it either hot or at room temperature.

Copas dulces de naranjilla

(10 porciones)

4 naranjillas grandes
1/2 kilo de azúcar
4 yemas de huevo
4 claras a punto de nieve

Lave las naranjillas y májelas con el azúcar. Déjelas reposar quince minutos, y páselas por un colador. Cocine el jugo dulce hasta que esté espeso como miel, retírelo del fuego y déjelo enfriar un poco. Agregue las yemas una a una, batiendo constantemente, y luego las claras batidas. Viértalo en copas de postre, y póngalo en la refrigeradora hasta que lo sirva.

Sweet Naranjila Cups

(Serves 10)

4 large naranjilas
1/2 kilo sugar
4 egg yolks
4 egg whites beaten until frosty

Wash the fruits and mash them with the sugar. Put aside, and strain fifteen minutes later. Cook the strained mixture until thick, remove from heat and let it cool a little. Add the yolks one by one, stirring constantly, and then the beaten egg whites. Pour in dessert cups and refrigerate until serving time.

Corvina en salsa de papaya

(4 porciones)

1/2 kilo de corvina u otro pescado blanco
1/2 kilo de papaya no muy madura, pelada y sin semillas
1 cucharadita de aceite para freír
1/2 taza de agua
3 cucharadas de yogur natural
1 cebolla mediana
1/3 taza de jugo de limón
sal y pimienta al gusto
1 cucharada de cebollinos picados

Parta la papaya en trocitos. Fría la cebolla en el aceite, agregue la papaya, la mitad del limón, y el agua, y cocine a fuego bajo por unos diez minutos. Licue junto con el yogur, y añada sal y pimienta al gusto.

Mientras prepara la salsa, deje marinar el pescado en el resto del limón y sal. Coloque en un recipiente apto para el horno, vacíe la salsa encima, y hornee por unos veinte minutos a fuego medio.

Adorne con los cebollinos picados, y sirva bien caliente

Sea-bass in Papaya Sauce

(Serves 4)

1/2 kilo sea-bass or other white flesh fish
1/2 kilo papaya not too ripe
1 teaspoon vegetable oil
1/2 cup water
3 tablespoons natural yogurt
1 medium onion
1/3 cup lime juice
1 tablespoon chopped chives
salt and pepper to taste

Cut papaya in small squares. Fry onion in vegetable oil. Add papaya, half lime juice, and water, and simmer for ten minutes. Put this with yogurt, salt and pepper in the mixer for one minute.

While preparing the sauce, marinate the fish in salt and remaining lime juice. Arrange in baking dish, pour sauce on top, and bake for about twenty minutes. Garnish with chives, and serve very hot.

Crema de aguacate

1 taza de puré de aguacate
2 cucharadas de mantequilla
1 cucharada de harina
1 cebolla picadita
1/2 taza de apio picado
sal y pimienta al gusto
1 hoja de laurel
1 taza de leche
culantro fresco

Dore la cebolla y la harina en la mantequilla. Agregue el apio, el agua, la hoja de laurel, sal, pimienta, y la leche. Cocine hasta que el apio suavice. Añada el aguacate, y cocine cinco minutos más. Decore con hojas de culantro y sirva.

Avocado Soup

1 cup mashed ripe avocado
2 tablespoons butter
1 tablespoon flour
1 cup milk
1 onion, chopped
1/2 cup celery, chopped
salt and pepper to taste
2 cups water
1 bay leaf
fresh coriander

Brown onion and flour in butter. Add celery, water, bay leaf, salt, pepper and milk. Simmer until celery is tender. Add the avocado and cook five more minutes. Serve, and decorate with coriander leaves.

Crema espesa de pejibaye

10 pejibayes medianos cocinados y pelados
1 taza de mayonesa
1/4 cucharadita de sal
1/4 cucharadita de pimienta
1/4 cucharadita de chile en hojuelas
1 cucharadita de culantro fresco picado

Parta los pejibayes en trocitos pequeños. Póngalos en la licuadora con la mayonesa. Cuélelos en un colador grueso. Agregue los otros ingredientes. Sírvalo acompañado de plátanos o papas tostadas, o una mezcla de ambos.

Pejibay Dip

10 medium size cooked pejibays
1 cup mayonnaise
1/4 teaspoon salt
1/4 teaspoon pepper
1/4 teaspoon chili flakes (optional)
1 teaspoon chopped fresh coriander leaves

Peel and cut the pejibays into small pieces. Put them in the mixer with the mayonnaise. Strain them. Add the rest of the ingredients, and serve with plantain and/or potato chips.

Chutney de papaya y mango

3 1/2 tazas de mango verde en trocitos
1/2 taza de mango maduro en trocitos
1 taza de papaya verde en trocitos
1 diente de ajo
2 1/4 tazas de azúcar moreno
1 1/2 tazas de pasas
3 onzas de jengibre en trozos grandes
1 1/2 cucharaditas de sal
1/4 cucharita de chile rojo picante molido (opcional)
curri al gusto

Revuelva todos los ingredientes y póngalos a hervir lentamente por varias horas, hasta obtener una pasta espesa. Retire el jengibre y el ajo. Envase en frasco esterilizado, y refrigere.

Papaya and Mango Chutney

3 1/2 cups green mango cut in pieces
1/2 cup ripe mango cut in pieces
1 cup unripe papaya cut in pieces
2 cups vinegar
1 garlic clove
2 1/4 cups brown sugar
1 1/2 cups raisins
3 ounces ginger root in large pieces
1 1/2 teaspoon salt
1/4 teaspoon red chili pepper (optional)
curry powder to taste

Mix all ingredients and simmer several hours until you have a thick mixture. Discard ginger root and garlic.

Put in sterilized jars, and refrigerate.

Daiquirí de maracuyá Porras

(1 porción)

2 onzas de ron claro
1 onza de jugo concentrado de maracuyá
1/2 onza de jugo de limón
1 cucharadita de azúcar
1 taza de hielo picado

Prepare primero el concentrado de maracuyá: saque la pulpa de la fruta con una cuchara, y póngala en la licuadora, en una proporción de cuatro tazas de pulpa por una taza de agua. Cuélelo. Ponga una onza del concentrado de nuevo en la licuadora. Agregue el azúcar y bata a velocidad máxima por tres segundos. Agregue el hielo y bata de nuevo a velocidad alta. Añada el ron, y sirva en vasos medianos con una pajilla.

Porras' Passion Fruit Daikiri

(serves 1)

2 ounces light rum
1 ounce passion fruit concentrated juice
1/2 ounce lemon juice
1 teaspoon sugar
1 cup crushed ice

Make the concentrated juice first: spoon the fruit's pulp and put it in the blender (4 cups fruit pulp to 1 cup water) until pureed. Drain it. Put one ounce back in the blender, add sugar, blend for three seconds, add ice, and blend again at high speed. Add rum, and serve in medium size glasses with a straw.

Delicia de mango

2 mangas maduras en tiritas
1 taza de azúcar
3 cucharadas de gelatina de melocotón
2 tazas de agua

En una olla mediana, mezcle el azúcar con el agua y llévelo a ebullición, moviendo hasta que se disuelva el azúcar. Agregue la gelatina y el mango, y déjelo hervir por aproximadamente cinco minutos más. Páselo a un frasco esterilizado, déjelo enfriar, y refrigérelo.

Combina muy bien con helados, pero también puede servirlo con un poco de crema encima.

Mango Deli

2 large ripe sliced mangoes
1 cup sugar
3 tablespoons peach gelatin
2 cups water

In a medium size saucepan combine the sugar with the water and bring the mixture to a boil, stirring until the sugar is dissolved. Add the gelatin, and the mango slices, and let it boil for aproximately five minutes. Transfer to a sterilized jar, let it cool, and refrigerate.

It goes very well with ice cream, but you can also serve it topped with cream.

Dulce de membrillos

12 membrillos
1 kilo de azúcar

Lave la frutas, y córtelas en cuatro partes. Póngalas al fuego en una olla, con agua que las cubra. Cocine hasta que suavicen. Cuélelas, y cocínelas con el azúcar, moviendo constantemente, hasta que se vea el fondo de la olla. Vacíe la mezcla en una bandeja, deje enfriar y parta en cuadritos. Rocíe con azúcar y guarde en un frasco.

Quinces Forever

12 quinces
1 kilo sugar

Wash and cut each fruit in four parts. Put them in a pan, and cover with water. Cook until tender. Strain them, and cook them with the sugar, stirring constantly, until you see the bottom of the pan. Pour the mixture on a baking sheet, let cool and cut in squares. Sprinkle with sugar, and store in a jar.

Dulce exquisito de zapote

(De 8 a 10 porciones)

2 tazas de pulpa de zapote
2 tazas de azúcar
2 astillas de canela
canela molida al gusto

Pase la pulpa por un colador, antes de medirla. Mézclela bien con el azúcar. Agregue la canela en astilla, y cocine a fuego moderado, moviéndolo constantemente con cuchara de madera. Los movimientos deben ser de un lado a otro y en forma redonda. Está listo cuando se ve el fondo de la olla.

Vacíelo en dulceritas, espolvoree con canela, póngale un piruchito de queso crema, y sírvalo bien frío.

Mammee Sapota Special

(Serves 8 to 10)

2 cups mammee sapota pulp
2 cups sugar
2 cinnamon sticks
ground cinnamon to taste
cream cheese

Strain the fruit pulp first, and then measure it. Mix fruit pulp and sugar. Add cinammon sticks and cook in moderate heat, stirring constantly with a wooden spoon, in horizontal (not round) movements. It is done when you can see the bottom of the pan. Place the mixture in small dessert cups and sprinkle with ground cinnamon. Top with cream cheese. Serve it cool.

Dulce de piña y papaya

1 piña madura
1 papaya madura
azúcar
5 claras de huevo batidas a punto de nieve

Pele y ralle las frutas. Mida cuántas tazas de mezcla tiene, y agregue la misma cantidad de azúcar. Cocine en una olla, revolviendo constantemente, hasta que tenga punto de bola. Retire del fuego y siga batiendo hasta que enfríe la mezcla. Agréguele poco a poco las claras a punto de nieve, batiendo con energía.

Sírvalo frío.

Pineapple and Papaya Dessert

1 ripe pineapple
1 ripe papaya
sugar
5 egg whites beaten until frothy

Peel and grate the fruits. Measure the mixture, and add the same weight of sugar. Boil at medium heat, stirring constantly, until soft ball stage. Move away from heat, and go on stirring while it is hot. Gradually add the egg whites, beating rapidly.

Serve it cold.

Dulce de piña y papaya
Foto: Kattia Alvarado Madrigal

Ensalada de papa y aguacate

(6 porciones)

3 papas grandes, peladas, cocidas y en cuadritos
1 aguacate mediano, maduro, pelado y en cuadritos
2 tallos de apio, picadito
50 gramos de semillas de marañón, en trocitos
5 onzas de maíz dulce enlatado
100 gramos de queso rallado
100 gramos de yogur natural
1 cucharada de culantro fresco picado
lechuga para adornar

Mezcle el aguacate, apio, semillas, maíz y queso.

Ponga los otros ingredientes en un tazón separado, y revuelva. Arregle seis platitos pequeños de ensalada con las hojas de lechuga; distribuya la ensalada entre ellos, y báñelos con la mezcla del tazón.

Avocado and Potato Salad

(Serves 6)

3 large potatoes, cooked, peeled and diced
1 medium, ripe avocado, peeled and diced
2 sticks of celery, chopped
50 grams cashew nuts, grossly chopped
5 oz canned sweet corn kernels
100 grams crumbled cheese
100 grams natural yogurt
1 tablespoon freshly chopped coriander
lettuce to serve

Mix potatoes, avocado, celery, cashews, sweetcorn and cheese together.

Blend the remaining ingredients together in a separate bowl. Pour over the vegetable mixture.

Line six small dishes with lettuce and fill with the vegetable mixture.

Ensueño tropical

1/2 taza de jugo de limón criollo
1/2 taza de jugo de piña fresca
1/2 taza de "ginger ale"
1 botella de ron claro
1 taza de agua de azúcar (1/2 taza de agua helada con 1/2 taza de azúcar)
1 taza de piña fresca en trocitos
hielo picado

Ponga la piña y el hielo a un lado, y licue el resto de los ingredientes, a alta velocidad por un minuto más o menos. Sirva en copas de coctel; decore con la piña, el hielo picado y las hojitas de menta.

Tropical Delight

1/2 cup lime juice
1/2 cup fresh pineapple juice
1/2 cup ginger ale
1 bottle of light rum
1 cup syrup made with 1/2 cup sugar and 1/2 cup iced water
1 cup finely chopped pineapple
crushed ice
fresh mint leaves

Put the pineapple and the crushed ice aside, and put the rest of the ingredients in the mixer for about one minute, full speed. Serve in coktail glasses, decorating with the pineapple, mint leaves and the crushed ice.

Espuma de maracuyá

(4 porciones)

1 huevo, separado
1 1/2 onzas de azúcar granulada
300 ml de jugo de maracuyá (enlatado, si no hay fresco)
1 cucharada de gelatina sin sabor disuelta en tres cucharadas de agua caliente
225 ml de crema dulce helada
corazoncitos de chocolate para adorno

Ponga en un tazón la yema de huevo y el azúcar. Bátalo hasta que tenga una consistencia espesa y cremosa.

Agregue gradualmente, sin dejar de batir, el jugo de maracuyá y la mezcla de gelatina ya fría.

Bata la crema hasta que forme picos suaves. Bata la clara de huevo hasta que forme picos duros. Agregue dos tercios de la crema y toda la clara a la mezcla de maracuyá. Vacíe en cucharadas en cuatro moldes o dulceras con forma de corazón, y ponga en la refrigeradora hasta que cuaje.

Deles vuelta sobre los platitos de servir, adorne con el resto de la crema, y los corazoncitos de chocolate.

Passion Fruit Mousse

(Serves 4)

1 egg, separated
1 1/2 oz caster sugar
300 ml passion fruit juice (canned, if fresh is not available)
1 tablespoon gelatine dissolved in 3 tablespoons hot water
225 ml fresh wipping cream
chocolate hearts for decoration

Place the egg yolk and sugar in a bowl. Whisk until thick and creamy.

Gradually whisk in the passion fruit juice and cooled gelatine mixture.

Whip the cream until softly stiff. Whisk the egg white until stiff. Fold three-quarters of the cream and all the egg white into the passion fruit mixture. Spoon into 4 heart shaped moulds or dishes and chill until set.

Turn out and decorate with remaining cream and chocolate hearts.

Espuma de naranjilla

(12 porciones)

5 naranjillas
5 claras de huevo batidas a punto de nieve
1/2 kilo de azúcar
1 taza de agua

Prepare un almíbar con el agua y el azúcar. Maje las naranjillas, y cuélelas. Agregue el jugo al almíbar, y cocine, moviendo frecuentemente, hasta que alcance el punto de hilo duro. Retire la olla del fuego, y añada suavemente las claras a punto de nieve. Devuélvala al fuego, y cocine, moviendo, hasta que seque. Colóquela en una dulcera, y sirva frío.

Naranjila Mousse

(Serves 12)

5 naranjilas
5 egg whites beaten until frothy
1/2 kilo sugar
1 cup water

Make a syrup with water and sugar. Mash the naranjilas, strain them. Mix the juice and the syrup and cook until it gets to thread stage. Remove from heat, fold in the egg whites, and mix well. Place on heat again, and cook, stirring frequently, until the mixture dries. Put in a dessert bowl, and serve cool.

Fresco de cas

1/4 kilo de cases
4 tazas de agua
azúcar al gusto

Licue la fruta. Cuélela, agregue azúcar y sirva bien frío.

Costa Rican Guava Drink

1/4 kilo Costa Rican guavas
4 cups water
sugar to taste

The fruit must be well ripened. Put it in the mixer for one minute. strain it. Add sugar, and serve cool.

Guanábana en leche

1/2 kilo de guanábana sin semillas
1 litro de leche
1/2 litro de agua
azúcar al gusto

Deshaga la guanábana en el agua. Añada la leche y el azúcar. Cuélela y sírvala.

Soursop Milk Shake

1/2 kilo soursop peeled and seeded
1 liter milk
1/2 liter water
sugar to taste

Put soursop in water and mash it. Add milk and sugar. Strain it and serve it cold.

Helado de anona tradicional

1 anona mediana sin semillas
1 1/2 litros de leche
1/2 kilo de azúcar

Revuelva todos los ingredientes en la licuadora. Coloque en un recipiente adecuado para el congelador, y congele hasta que esté semicuajado. Bata bien, y vuelva a congelar.

Traditional Sugar Apple Ice Cream

1 medium sugar apple seeded
1 1/2 liters milk
1/2 kilo sugar

Put all ingredients in the mixer. Place in freezer tray and freeze until mushy. Beat well and refreeze until frozen.

Helado de caimito

2 tazas de crema dulce
1 cucharadita de jugo de limón
1 taza de azúcar refinada
2 tazas de pulpa de caimito colada
1/8 de cucharadita de extracto de almendra

Se pone la crema en el congelador a enfriar. Se bate hasta que esté espesa. Se agrega poco a poco el jugo de limón, mezclando bien; luego el azúcar, el caimito, y la almendra, mezclando todo suavemente.

Ponga a congelar.

Star Apple Ice Cream

2 cups whipping cream
2 teaspoons lemon juice
1 cup powdered sugar
2 cups strained star apple pulp
1/8 teaspoon almond extract

Place cream in refrigerator to chill. Beat until stiff. Add lemon juice and continue beating until well blended. Fold in sugar, almond extract and fruit. Freeze.

Helado de chirimoya

3 chirimoyas grandes
1 taza de azúcar
1 taza de crema de leche batida
2 claras de huevo batidas a punto de nieve

Añada el azúcar a la pulpa de las chirimoyas, y estripe bien para que le salga el jugo. Mezcle el jugo con la crema de leche, y suavemente agregue las claras batidas. Congele hasta que cuaje.

Cherimoya Ice Cream

3 large cherimoyas, seeded
1 cup sugar
1 cup whipping cream
2 egg whites beaten until frothy

Mix fruit pulp and sugar, and strain. Mix fruit juice and whipping cream, and fold in egg whites. Freeze.

Helado de mango
Foto: Gilbert Solano Rivera

Helado de naranjilla

(2 litros)

2 tazas de leche
1/2 libra de azúcar
1 cucharadita de maicena disuelta en
1/2 taza de leche fría
1 yema de huevo
jugo de 10 naranjillas maduras

Hierva por cinco minutos la leche y el azúcar. Agregue la maicena, y cocine cinco minutos más, revolviendo constantemente. Retire la olla del fuego, añada la yema, bata bien la mezcla, y deje enfriar. Cuando esté frío, agregue el jugo de naranjilla y mezcle bien. Congele; cuando cuaje, sáquelo y bátalo un poco y vuelva a congelarlo.

Naranjila Ice Cream

(2 liters)

2 cups milk
1/4 kilo sugar
1 teaspoon cornmeal dissolved in
1 cup cold milk
1 egg yolk
juice from 10 ripe naranjilas

Boil milk and sugar for five minutes. Add cornmeal and cook for five minutes more, stirring constantly. Remove from heat and add egg yolk, beat the mixture and let cool. Add the naranjila juice, and mix well. Freeze; take it out and beat a little, and freeze again.

Helado de mora

(1 1/2 litros)

1 kilo de moras
1/4 kilo de azúcar
1/2 taza de agua
1 taza de crema de leche

Lave las moras, lícuelas con poquita agua, cuélelas, y guarde el jugo. Haga un almíbar espeso con el azúcar y la media taza de agua. Déjelo enfriar, y mézclelo al jugo y la crema de leche. Congele hasta que cuaje.

Blackberry Ice Cream

(1 1/2 liters)

1 kilo blackberries
1/4 kilo sugar
1/2 cup water
1 cup cream

Wash the berries, put them in the mixer with a little water, strain, and set the juice aside. Make a thick syrup with the sugar and 1/2 cup water. Let it cool, and mix it with the fruit juice and the cream. Freeze until done.

Helado de mora
Foto: Laura Cristina Rodríguez

Helado de piña

1 piña
1/2 kilo de azúcar
2 tazas de agua
1 taza de crema de leche

Pele y ralle la piña, y póngala en una olla. Agregue el agua y el azúcar, y cocine diez minutos a temperatura alta. Retírelo del fuego, déjelo enfriar, y agréguele la crema. Congele.

Pineapple Ice Cream

1 pineapple
1/2 kilo sugar
2 cups water
1 cup cream

Peel and grate the pineapple, and put it in a pan. Add water and sugar, and cook for ten minutes at high heat. Remove from heat, let it cool, and add the cream. Freeze.

Helado de tomate de palo

8 tomates de palo grandes y maduros
12 onzas de azúcar
1 lata de leche evaporada (2 tazas)

Ponga la lata de leche evaporada en el refrigerador, y déjela enfriar durante doce horas por lo menos. Pele y licue los tomates en poca agua. Cuélelos, y agregue el azúcar al jugo, revolviendo para que se deshaga bien. Enfríe en el refrigerador. Al ir a hacer el helado, agite bien la lata de leche antes de abrirla, póngala en un tazón, y bátala bien, hasta que crezca y espese. Agregue por cucharadas la mezcla de jugo de tomate, hasta terminarla toda. Congele antes de servir.

Tree Tomato Ice Cream

8 large ripe tree tomatos
12 ounces sugar
1 cup (2 cups) evaporated milk

Refrigerate the milk for at least 12 hours. Peel and blend the fruit, using little water. Strain the juice, add sugar, stirring well, and refrigerate. Before opening the milk can, move it well, and then beat it until thick. Carefully spoon the tomato mixture in it. Freeze well before serving.

Jalea de guayaba

1 kilo de guayabas maduras
2 tazas de agua
azúcar
1 astilla de canela

Parta las guayabas en trozos y póngalas a cocinar en el agua, con la astilla de canela. Cuando están suaves, lícuelas y cuélelas. Mida una taza de azúcar por cada taza de jugo de guayaba, y cocine a fuego moderado, moviendo constantemente con cuchara de madera. Está listo cuando el dulce se parte al pasar la cuchara, y se puede ver el fondo de la olla por la consistencia espesa dc la jalea.

Guava Jam

1 kilo guavas
2 cups water
sugar
1 cinnamon stick

Cut guavas in pieces, and cook in the water with the cinammon stick, until tender. Blend them, and strain them. Measure one cup sugar for each cup guava juice. Cook in moderate heat, moving constantly with a wooden spoon. It is done when the jam thickens, and you can see the bottom of the pan when moving the mixture with the spoon. Do not overcook it, because it gets hard.

Jalea de naranjilla

1/2 kilo de naranjilla
azúcar

Se licua y se cuela la naranjilla. Se mide, y se le agrega igual cantidad de azúcar. Se pone al fuego a calor muy bajo, removiendo frecuentemente, hasta que se vea el fondo de la olla.

Naranjila Jam

1/2 kilo naranjila
sugar

Put the naranjilla in the mixer, and then strain it. Measure it, and add same quantity of sugar. Cook in very low heat, stirring frequently, until you can see the bottom of the pot.

Jalea de papaya

1 papaya grande madura pelada, sin semillas, y rallada gruesa
2 cucharaditas de jengibre
4 tazas de azúcar

Mezcle la fruta, el jengibre y la mitad del azúcar, y cocine a fuego medio hasta que suavice. Agregue el resto del azúcar, y siga cocinando, moviendo frecuentemente, hasta que la papaya esté transparente y espesa. Guarde en frascos esterilizados, y tape con parafina.

Papaya Jam

1 large ripe papaya, peeled, seeded and coarsely grated
2 teaspoons ground ginger
4 cups sugar

Mix the fruit, ginger and half of the sugar, and simmer until tender. Add remaining sugar and continue cooking, stirring frequently, until the papaya gets transparent and thick. Fill sterilized jars, and seal with paraffin.

Jalea de papaya verde

3 tazas de papaya verde pelada y rallada
3 tazas de azúcar
3 cucharadas de cáscara de naranja rallada
1/2 taza de agua

Cocine la papaya en el agua, con la ralladura de naranja, hasta que esté suave. Escúrrala bien, y en el agua que quedó, ponga a cocinar el azúcar, hasta que tenga la consistencia de un sirope espeso. Agregue de nuevo la papaya, y deje a fuego bajo hasta que seque.

Green Papaya Jam

3 cups green papayas peeled and grated
3 cups sugar
3 tablespoons grated orange rind
1/2 cup water

Cook the papaya in water with the orange rind, until tender. Drain well and keep the water. Dissolve the sugar in it, and let cook until it gets syrupy. Add the papaya and cook in low heat until the mixture is thick.

Jalea de piña

4 tazas de piña rallada gruesa
4 tazas de azúcar

Ponga a cocinar, a fuego moderado, la piña y el azúcar en una olla pesada, moviendo frecuentemente hasta que espese.

Pineapple Jam

4 cups coarsely grated pineapple
4 cups granulated sugar

In a heavy pan, mix sugar and pineapple. Cook at moderate heat, stirring frequently, until it thickens.

Do not grate the heart of the fruit.

Jamón cocido con mango

3 cucharadas de "chutney" de mango
6 cucharadas de mayonesa
sal y pimienta al gusto
1 lechuga pequeña en tiritas
1/2 pepino mediano en rodajas
350 gramos de jamón cocido en rebanadas finitas
tajadas de manga madura fresca para adornar

Mezcle el "chutney" y la mayonesa en un tazón; condimente al gusto. Ponga la lechuga y el pepino mezclados en una ensaladera.

Coloque las rebanadas de jamón en un platón, dejando en el centro espacio para un poco de la salsa de "chutney" con mayonesa. Adorne con las tajadas de manga. Sirva acompañado de la ensalada y la salsa, en recipientes separados.

Mango Ham

3 tablespoons mango chutney
6 tablespoons mayonnaise
salt and pepper to taste
1 small lettuce cut in strips
1/2 sliced cucumber
350 grams cooked ham, in thin slices
fresh mango slices

Mix chutney and mayonnaise in a bowl; add salt and pepper to taste. Mix cucumber and lettuce in a salad bowl.

Put ham slices in a serving plate, leaving enough space in the center for some chutney mayonnaise. Decorate with mango slices.

Serve with the sauce and salad in separate dishes.

Mango al horno

4 tazas de mango maduro, pelado y en tajadas
1 cucharada de jugo de limón
1/3 taza de harina cernida
1 taza de avena
1/2 taza de azúcar morena
1/2 cucharadita de sal
1 cucharadita de canela
1/3 taza de margarina derretida

Precaliente el horno a 375ºF. Ponga las tajadas de mango en un molde engrasado, y rocíelo con el jugo de limón. Mezcle aparte los ingredientes secos. Agregue la margarina derretida, y revuelva hasta que se formen boronas. Rocíelo sobre el mango. Hornee por unos treinta minutos. Sirva caliente o frío, con crema o helado de vainilla.

Mango Crisp

4 cups ripe mangoes, peeled and sliced
1 tablespoon lemon juice
1/3 cup sifted flour
1 cup oatmeal
1/2 cup brown sugar
1/2 teaspoon salt
1 teaspoon cinnamon
1/3 cup melted margarine

Preheat oven at 375ºF. Put mangoes in a greased baking dish. Sprinkle with lemon juicc. Mix dry ingredients, and add melted margarine until you get coarse crumbs. Sprinkle mixture over mangoes. Bake for aproximately thirty minutes. Serve either hot or cold, with cream or vanilla ice cream.

Mango en sirope de limón

(4 porciones)

1/2 taza de azúcar
1/4 taza de jugo de limón
1 mango grande, pelado y en tajadas
ralladura de 1 limón

En una sartén, mezcle el azúcar con 1/2 taza de agua, y lleve a ebullición, moviendo hasta que el azúcar se disuelva. Deje hervir por unos dos minutos, y agregue el jugo de limón. Coloque las tajadas de mango en un plato hondo, de forma que se vean atractivas. Rocíelas con la ralladura de limón, y vacíeles encima el sirope. Déjelo reposar por lo menos por una hora, y sirva bien frío.

Pueden agregarse tajadas de papaya, o gajos de mandarina.

Mango in Lime Syrup

(Serves 4)

1/2 cup sugar
1/4 cup lime juice
1 large mango, peeled and sliced
the grated rind of one lime

In a small saucepan combine the sugar with 1/2 cup water and bring the mixture to a boil, stirring until the sugar is dissolved. Boil the syrup for two minutes, and stir in the lime juice. Put the mango slices decoratively in a shallow serving dish. Sprinkle them with the rind, and pour syrup over them. Let the mixture stand for at least one hour. Serve very cold.You can also add papaya or mandarine slices.

Nances en guaro

1/2 kilo de nances maduros
1/8 kilo de azúcar
canela al gusto
guaro (licor de caña costarricense),
brandy u otro licor fuerte

Lave muy bien las frutas y póngalas en un frasco de cristal (debe llenarse hasta las tres cuartas partes). Ponga el azúcar sobre las frutas. Agregue la canela, y cubra con el licor de su preferencia.

Tápelo herméticamente y déjelo reposar en un lugar seco y fresco por lo menos por un mes.

Nanzis in Licquor

1/2 kilo ripe nanzis
1/8 kilo sugar
cinnamon
Costa Rican cane licquor (guaro),
brandy, or other strong licquor

Wash the fruits thoroughly, and put in a clean glass jar (it should be filled up to three quarters). Pour sugar on top of the fruits. Add cinamonn, and cover with the licquor of your choice.

Seal and leave in a dry cool place for a month at least.

Néctar de piña

2 1/2 tazas de jugo de piña
1/4 taza de jugo de limón ácido grande
3/4 taza de jugo de limón ácido criollo
1/4 taza de azúcar
ginger-ale al gusto

Mezcle todos los ingredientes excepto el *ginger-ale*. Llene seis vasos altos con hielo picado. Divida la mezcla de jugo entre ellos, y termine de llenar con *ginger-ale*.

Pineapple Nectar

2 1/2 cups pineapple juice
1/4 cups lemon juice
3/4 cups lime juice
1/4 cup sugar
ginger-ale to taste

Mix all ingredients except ale. Fill six tall glasses with crushed ice, divide mixture between them, and fill the rest with ginger-ale.

Néctar de piña
Foto: Ladislao Hernández

Nieve de mango

350 gramos de pulpa de mango
2 huevos, clara y yema separados
50 gramos de azúcar granulada
15 cl de crema espesa fría
4 cucharadas de jugo de limón

Pase la pulpa de mango por el procesador, hasta hacerla puré. Bata las claras hasta que estén a punto de nieve, pero no demasiado duras. Vaya incorporando poco a poco el azúcar, hasta conseguir una masa firme.

Bata la crema hasta que espese. Agregue las yemas, y revuelva bien. Agregue las claras, hasta que la mezcla sea homogénea. Finalmente, agregue el puré de mango y el jugo de limón.

Páselo a un recipiente adecuado, y métalo por lo menos seis horas al congelador. Media hora antes de servirlo, páselo a otro compartimento del refrigerador.

Adorne con una ramita de menta.

Mango Sherbet

350 grams of mango pulp
2 eggs, white and yolks separated
50 grams granulated sugar
15 cl. thick cream
4 tablespoons lime juice

Purée the mango. Beat egg whites until firm. Gradually, stir in sugar, until the mixture is very firm and brilliant.

Beat the cream until it thickens. Fold in yolks and mix thoroughly. Carefully stir in egg whites until smooth. Add the mango and the lime juice.

Place in freezer tray for at least six hours. Half an hour before serving, put it down in the refrigerator.

Garnish with some mint sprigs.

Papaya horneada

1 papaya mediana
2 cucharadas de azúcar
1/4 taza de jugo de limón
1/4 cucharadita de canela

Corte la papaya a lo largo y sáquele las semillas. Rocíela con el azúcar, el jugo de limón y la canela. Hornee por veinte minutos a fuego mediano, y sirva inmediatamente.

Baked Papaya

1 medium papaya
2 tablespoons sugar
1/4 cup lime juice
1/4 teaspoon cinnamon

Cut the papaya lengthwise, and take out the seeds. Sprinkle with the sugar, lime juice and cinnamon. Bake por twenty minutes, and serve inmmediatly.

Pastel de mango

3 1/2 tazas de mango maduro en rodajitas
1 taza de azúcar
1/2 cucharadita de canela en polvo
1/4 cucharadita de nuez moscada en polvo
1 cucharadita de jugo de limón
2 cucharadas de harina
1 concha para pastel sin cocinar

A un molde para pastel forrado con la pasta sin hornear, se le colocan capas de mango, rociadas con azúcar, harina y especias, hasta terminar los ingredientes. Se rocía con jugo de limón, y se tapa con más pasta para pastel. Se le hacen ranuras a la tapa, y se mete en el horno, durante diez minutos a 350ºC , y luego más o menos media hora más a 250ºC, hasta que dore. Sirva frío o caliente.

Mango Pie

3 1/2 cups ripe mango slices
1 cup sugar
2 tablespoons flour
1/2 teaspoon ground cinnamon
1/4 teaspoon mace
1 teaspoon lemon juice
1 pie shell

Arrange mango slices on the uncooked pie shell. Sprinkle with flour, sugar and spices. Repeat until all ingredients are used. Sprinkle with lemon juice, and cover with pastry. Cut slits in crust, and bake ten minutes at 425ºF, and thirty minutes more at 350ºF, until golden brown. Serve hot or cold.

Pastel de papaya

2 huevos
1 taza de pulpa de papaya
1 taza de azúcar
1 cucharadita de jugo de limón
1/2 taza de mantequilla
una concha horneada para pastel
2 cucharadas de azúcar

Mezcle el azúcar y la mantequilla hasta que estén cremosos. Agregue las yemas de huevo batidas, el jugo de limón y la papaya. Vierta en la concha de pastel, y póngala al horno hasta que esté lista.

Haga un merengue con las claras de huevo y dos cucharadas de azúcar. Póngalo sobre el pastel, y lleve unos minutos más al horno hasta que dore.

Papaya Pie

2 eggs
1 cup mashed papaya
1 cup sugar
1 teaspoon lime juice
1/2 cup butter
1 baked pie shell
2 tablespoons sugar

Beat sugar and butter until creamy. Add beaten egg yolks, lime juice and papaya. Pour in the shell, and bake until done. Beat two egg whites, and add gradually two tablespoons sugar to make a meringue. When it forms peaks, pour over pie, and bake again for a few minutes, until golden.

Pastel de papaya y manga

1 concha para pastel, ya cocinada
1 taza de papaya madura cocinada
1 taza de manga madura cocinada
2 yemas de huevo
1 taza de azúcar
1 cucharadita de canela en polvo
1/4 cucharadita de nuez moscada
2 claras de huevo
6 cucharadas de azúcar

Cuele la fruta, y agregue las yemas de huevo, las especias, y la taza de azúcar. Ponga a cocinar a fuego lento, hasta que espese. Deje enfriar, y rellene con la mezcla la concha de pastel. Aliste un merengue con las claras y las seis cucharadas de azúcar, y cubra con esto el pastel. Métalo al horno por unos veinte minutos, a calor moderado, hasta que dore.

Mango and Papaya Pie

1 baked pie shell
1 cup, cooked, ripe papaya
1 cup, cooked, ripe mango
2 egg yolks
1 cup sugar
1 teaspoon cinnamon
1/4 teaspoon mace
2 egg whites
6 tablespoons sugar

Strain the fruit, and add egg yolks, spices and a cup of sugar. Simmer until thick. Let cool, and fill the pie shell with it. Top with meringue made with egg whites and 6 tablespoons sugar. Bake at 250º C until a delicate brown.

Picadillo de pejibaye

1 kilo de pejibayes cocidos, pelados y en trocitos pequeños
1/2 kilo de carne molida
1 tomate grande, pelado y picado
1 cebolla mediana picadita
1 chile dulce mediano picadito
1 tallo de apio picadito
1 cucharada de culantro picado
sal y pimienta al gusto
"salsa inglesa" tica (o "Worcestershire") al gusto
agua
aceite para cocinar

Cocine la cebolla y el chile dulce hasta que doren. Añada la carne molida y fríala un poco. Agregue el tomate, y el resto de los ingredientes, y déjelo cocinar a fuego moderado por unos quince minutos, hasta que se mezclen los sabores.

Pejibay-and-beef Stew

1 kilo cooked, peeled, diced pejibays
1/2 kilo ground beef
1 large tomato, peeled and chopped
1 finely chopped, small onion
1 finely chopped, small bell pepper
1 finely chopped, celery stick
1 tablespoon chopped coriander
salt and pepper to taste
tico "English sauce" or Worcestershire sauce, to taste
water
cooking oil

Cook onion and pepper until golden. Add the ground beef, and brown it. Add the rest of the ingredients, and simmer for aproximately fifteen minutes.

Piña con relleno de frutas

(8 porciones)

2 piñas enteras
1 lata de coctel de frutas de 8 onzas
6 onzas de queso crema
1 taza de mayonesa

Parta las piñas a lo largo, por la mitad, con cuidado de no dañar las hojas. Saque la pulpa, y pártala en trocitos, quitando la parte del corazón. Escurra el exceso de jugo, lo mismo que el almíbar del coctel de frutas. Bata el queso crema con la mayonesa. Agregue la piña y las frutas. Vacíe esta mezcla dentro de las mitades de piña, y adorne con ramitas de menta.

Fruit Filled Pineapple

(Serves 8)

2 whole pineapples
1 8-ounce fruit cocktail can
6 ounces cream cheese
1 cup mayonnaise

Cut pineapples lengthwise without damaging the leaves. Carefully take out pineapple pulp. Cut it in small squares, discarding the heart. Drain excess juice. Drain fruit cocktail. Beat together cream cheese and mayonnaise. Add pineapple and fruit cocktail. Fill pineapple halves with the mixture. Decorate with mint sprigs.

Ponche caliente de maracuyá

2 litros de agua
1 taza de jugo de maracuyá concentrado
2 astillas grandes de canela
1/2 taza de guaro
azúcar al gusto

Hierva el agua, el jugo y la canela por unos diez minutos. Agregue azúcar al gusto. Antes de servirlo, añada el licor. Se sirve caliente.

Hot Passion Fruit Punch

2 liters water
1 cup, concentrated, passion fruit juice
2 large cinammon sticks
1/2 cup cane licquor
sugar to taste

Boil the water, juice and cinnamon, for ten minutes. Add sugar to taste. Just before serving, add the licquor. Serve hot.

Ponche de frutas de Dominga

2 manguitos pequeños bien maduros, pelados y en tajadas
1 tajada de papaya
1/2 banano, pelado y en rodajas
1 naranjilla
1 cucharada de azúcar
agua

Ponga en la licuadora todos los ingredientes, cortados en piezas pequeñas. No pele la naranjilla; solamente lávela bien con una esponja. Añada suficiente agua para conseguir la textura deseada.

Dominga's Fruit Punch

2 small ripe mangoes, peeled and sliced
1 slice papaya
1/2 ripe banana, peeled and sliced
1 naranjila
1 tablespoon caster sugar
water

Put all ingredients, cut in small pieces, in the mixer. Do not peel the naranjila, just wash it well with a sponge. Add enough water to get the desired texture.

Serve it very cold, in tall glasses.

Postre de papaya verde

6 tazas de papaya verde rallada
6 tazas de azúcar
3 cucharadas de cáscara de naranja rallada

Pele la papaya y rállela de manera que quede en tiritas finas. Añada el azúcar y cocine durante unos treinta minutos. Agregue la cáscara de naranja, y deje enfriar.

Green Papaya Pudding

6 cups grated green papaya
6 cups sugar
3 tablespoons grated orange peel

Peel papaya and grate it coarsely. Add sugar and cook it in moderate heat for thirty minutes. Add orange peel and leave to cool.

Postre de zapote

(4 porciones)

4 tazas de pulpa de zapote
2 tazas de dulce de tapa rallado
2 cucharadas de jugo de limón
1 taza de jugo de naranja
1 astilla de canela

Ponga todos los ingredientes en una olla pesada, y deje cocinar a fuego lento, moviendo de vez en cuando, hasta que espese.

Retírelo del fuego, y sirva bien frío.

Mamee Sapota Dessert

(Serves 4)

4 cups of mamee-sapota pulp
2 cups grated panela
2 tablespoons lemon juice
1 cup orange juice
1 cinnamon stick

Put all ingredients in a heavy pan. Simmer gently, stirring occasionally, until the mixtures thickens. Remove from heat, and serve cool.

Queque de banano

2/3 taza de manteca vegetal
2 1/2 tazas de harina cernida
1 2/3 taza de azúcar
1 1/4 cucharadita de polvo de hornear
1 cucharadita de bicarbonato de soda
1 cucharadita de sal
1 1/4 taza de bananos maduros
2/3 taza de leche agria
2 huevos

Ponga la manteca en un tazón. Cierna juntos la harina, el azúcar, el polvo de hornear, el bicarbonato y la sal. Agregue los bananos y la mitad de la leche agria. Revuelva bien. En la batidora, bátalo por dos minutos a velocidad media. Añada la leche agria que sobró, y los huevos. Bata por dos minutos más.

Engrase y enharine dos moldes para pan, divida entre ellos la mezcla, y métalos en el horno a 350º, por unos treinta y cinco minutos. Deje enfriar por unos diez minutos, y saque de los moldes.

Banana Cake

2/3 cups shortening
2 1/2 cups sifted flour
1 2/3 cups sugar
1 1/4 teaspoon baking powder
1 teaspoon baking soda
1 teaspoon salt
1 1/4 cup mashed bananas
2/3 cups buttermilk
2 eggs

Put shortening in mixing bowl. Add flour, sugar, baking powder, soda, and salt, sifted together. Add mashed bananas and 1/3 cup buttermilk. Mix well, and beat two minutes at medium speed on electric mixer. Add remaining buttermilk and eggs; beat for two more minutes. Grease and flour two pans, and bake at 350º for about thirty five minutes. Leave to cool for ten minutes, then remove from pans.

Relleno de mango

2 tazas de tajaditas finas de mango (verde o maduro)
1 taza de azúcar
1/2 taza de agua
1 cucharada de jugo de limón criollo
1 pizca de canela en polvo

En una olla mediana, ponga a suavizar el mango en la media taza de agua. Agregue el azúcar, el jugo de limón, y si es necesario, un poquito más de agua. Déjelo hervir por unos cinco minutos, pero cuide de que no espese demasiado.

Puede usarlo para rellenar pasteles, o acompañando helados, bien frío, o caliente.

Mango Filling

2 cups mango, thinly sliced (green or ripe)
1 cup sugar
1/2 cup water
1 tablespoon lime juice
1 pinch ground cinnamon

In a medium size pan, cook the mango in half cup water. When tender, add sugar, lime juice, cinammon, and some more water (if needed). Let it boil for five minutes, but do not allow it to thicken too much.

You can use this for pies, or serve it cold or hot with ice cream.

Relleno de mango verde para pastel

4 tazas de tajaditas muy finas de mango verde
1 1/2 tazas de azúcar
1/2 cucharadita de canela
1/4 cucharadita de sal
1/4 cucharadita de vainilla
jugo de 1 limón
1 cucharada de mantequilla

Mezcle todos los ingredientes, excepto la mantequilla. Rellene con esto una concha preparada para pastel de 9 pulgadas. Colóquele trocitos de mantequilla por encima. Póngale la tapa de pasta, y hágale ranuras con un cuchillo filoso. Hornee a 350ºC por diez minutos. Reduzca el calor a 250º C, y hornee por treinta minutos más, hasta que la pasta esté dorada, y el relleno haga burbujas por las ranuras.

Sírvalo caliente, acompañado de helado de vainilla.

Green Mango Pie Filling

4 cups thinly sliced very green mangoes
1 1/2 cups sugar
1/2 teaspoon cinammon
1/4 teaspoon salt
1/4 teaspoon vanilla
juice of one lime
1 tablespoon butter

Mix all ingredients except butter. Put in a 9 inch pastry-lined pan. Dot with butter. Cover with pie shell and slit it with a sharp knife. Bake at 350ºC por 10 minutes. Reduce heat to 250 ºC and bake for thirty more minutes, until shell is golden and the filling bubbles through the slits.

Serve warm, with vanilla ice cream.

Salsa de moras

1/2 kilo de moras
1 3/4 tazas de azúcar
1 taza de agua

Licue todos los ingredientes. Ponga la mezcla al fuego en una olla pesada, hasta que dé un hervor. Cuélela mientras esté caliente; déjela enfriar, y úsela para bañar helados, pasteles y otros postres.

Blackberry Sauce

1/2 kilo blackberries
1 3/4 cup sugar
1 cup water

Blend all ingredients. In a heavy pan, bring to a boil, and strain while still hot. Let it cool, and use it to top ice cream, pies, and other desserts.

Sorpresa de plátano maduro

3 plátanos maduros
1 taza de frijoles molidos refritos
1 taza de azúcar
1/4 taza de aceite
3/4 taza de harina
2 cucharadas de harina
sal al gusto

Cocine los plátanos con todo y cáscara hasta que suavicen. Pélelos y májelos bien con un tenedor. Agregue 3/4 taza de harina y la sal, y revuelva bien. En un tazón aparte, mezcle los frijoles con 1/2 taza de azúcar. Enharínese las manos, y coja pequeñas cantidades de plátano, formando pequeñas tortitas. En el centro de cada ruedita, ponga una cucharadita de frijoles, dóblelas, y con los dedos déles la forma de un huevo.

En aceite bien caliente, fría los rellenos a fuego medio, hasta que doren por todos lados. Espolvoreelos con el resto del azúcar, y sírvalos bien calientes.

Plantain Surprise

3 ripe plantains
1 cup fried mashed black beans
1 cup sugar
1/4 cup cooking oil
3/4 cup flour
2 tablespoons flour
salt to taste

Boil unpeeled plantains until tender. Peel and mash them with a fork. Add 3/4 cup flour and salt, and mix well. In a separate bowl, mix the beans with 1/2 cup sugar. Take small portions of the plantain mixture, and with floured hands, flatten into small cakes. Put one teaspoon of the beans in the center, fold over, and form with your fingers into an egg shape.

Fry them in hot oil over medium heat, until brown on all sides. Sprinkle with the rest of sugar, and serve hot.

Sorpresa de naranjilla y camote

(Da 6 a 8 porciones)

1/2 kilo de camote
6 naranjillas grandes
1/2 kilo de azúcar
1 astilla de canela

Lave los camotes. Póngalos en un olla con agua que los tape, hasta que la cáscara se parta. Escúrralos, pélelos y muélalos finamente. Licue las naranjillas en 1 1/2 taza de agua, y cuele el jugo. Ponga en una olla el camote y el jugo, con el azúcar y la canela. Cocínelo revolviendo constantemente, hasta que el almibar tenga consistencia de bola. Sírvalo frío.

Naranjila and Sweet Potatoes Surprise

(Serves 6-8)

1/2 kilo sweet potatoes
6 large naranjilas
1/2 kilo sugar
1 cinnamon stick

Wash the sweet potatoes, put them in a pan , and cover with water. Boil them until the skin breaks. Drain them, peel them and grate them finely. Blend the naranjilas in 1 1/2 cups water, and strain the juice. Put the sweet potatoes in a pan, with the fruit juice. Add sugar and cinnamon, and cook until the mixture gets to ball stage, stirring constantly. Serve it cold.

Tajadas dulces de guayaba

(Da 6 porciones)

10 guayabas maduras
1 taza de azúcar
1 1/2 tazas de agua

Lave, pele, quite las semillas y parta en tajaditas las guayabas. Ponga todos los ingredientes en una olla, y cocine a fuego medio hasta que comience a espesar. Retire del fuego y deje enfriar.

Sirva con queso crema.

Sweet Guava Slices

(Serves 6)

10 large ripe guavas
1 cup sugar
1 1/2 cups water

Wash, peel, seed and slice the guavas. Put all ingredients in a pan, and cook until it starts to thicken. Remove from heat, and let cool.

Serve with cream cheese.

Bibliografía-Bibliography

BERRIEDALE-JOHNSON, Michelle. *The British Museum Cookbook*. British Museum Publications, Londres, 1987.

BLASCO LAMENEA, Mario. *Características de la producción de frutales nativos en la Amazonia peruana*. Instituto Nacional de Investigación Agraria, Ministerio de Agricultura y alimentación, Lima, 1978.

BRIERS, Audrey. *Eat, Drink and Be Merry*. Ashmolean Museum, Oxford, 1990.

COLÓN, Hernando. *Vida del Almirante don Cristóbal Colón*. Fondo de Cultura Económica, México, 1947.

CROSBY, Alfred. *The Columbian Exchange (Biological and Cultural Consequences of 1492)*. Greenwood Press, Connecticut, 1975.

CROXFORD, Barbara *et al*. *Fruits et legumes exotiques*. Librairie Gründ SA, Paris, 1985.

ESTRELLA, Eduardo. *El pan de América. Etnohistoria de los alimentos aborígenes en el Ecuador*. Consejo Superior de Ediciones Científicas, Centro de Estudios Históricos, Madrid 1986.

FERNÁNDEZ DE OVIEDO, Gonzalo. *Historia General y Natural de las Indias*. Ediciones Atlas, Madrid, 1959.

FRAZER, J.G. *El folklore en el Antiguo Testamento.* Fondo de Cultura Económica, México, 1986.

GARITA BONILLA, Nora. *L' agroindustrie des fruits et légumes au Costa Rica, 1960-1978.* Mimeog. Paris, 1981.

GERBI, Antonello. *La disputa del Nuevo Mundo, historia de una polémica (1750-1900), Fondo de Cultura Económica, México, 1982*
-*La naturaleza de las Indias Nuevas.* Fondo de Cultura Económica, México, 1978.

HOFMANN, Holger. *Fruits et légumes exotiques.* Petits Atlas Payot Lausanne N°89. Editions Payot Lausanne, Switzerland, n.d.

JANZEN, Daniel H. (Editor). *Costa Rican Natural History.* The University of Chicago Press. Chicago and London, 1983.

MASEFIEL, G.B *et al.* *The Oxford Book of Food Plants.* Oxford, Oxford University Press, 1969.

MCCANN, Thomas. *Una empresa norteamericana. La tragedia de la United Fruit.* Grijalbo, Barcelona, 1978.

MONTIEL, Mayra. *Introducción a la flora de Costa Rica.* Editorial Universidad de Costa Rica, San José, 1990.

NORTON LEONARD, Jonathan *et al.* *La Cuisine Latino-Américaine.* Time-Life International, Nederland, 1968.

PARKINSON, Susan *et al.* *Taste of the Tropics.* David Bateman Ltd., Hong Kong, 1989.

PITTIER, Henri. *Plantas usuales de Costa Rica.* Editorial Costa Rica, San José, 1978.

POPENOE, Wilson. *Manual of Tropical and Subtropical Fruits*, Haffner Press, New York, 1974.

ROMERO CASTAÑEDA, Rafael. *Frutas silvestres de Colombia.* Instituto Colombiano de Cultura Hispánica, Bogotá, 1991.

ROOT, Waverley *et al.* *Herbes et Epices.* Botanique et Ethnologie. Berger-Levrault, Paris, 1982.

ROSS DE CERDAS, Marjorie. *Al Calor del Fogón (Quinientos años de cocina costarricense).* Culturart, San José, 1986.
- *La magia de la cocina limonense: rice and beans y calalú.* Editorial de la Universidad de Costa Rica, San José, 1990.

SOKOLOV, Raymond. *Why We Eat What We Eat*, Summit Books, New York, 1991.

WELANETZ, Diana & Paul von. *The von Welanetz Guide to Ethnic Ingredients.* Warner Books, New York, 1982.

Women's Auxiliary of the Union Church, Guatemala. *Kitchen Fiesta.* Guatemala, 1981.

Indice de frutas

Fruit index

Indice de recetas

Recipe index

Impreso por
Litografía e Imprenta LIL, S.A.
Apartado 75-1100
San José, Costa Rica
367353